# PSICOLOGÍA EVOLUTIVA 3-6:

# DE LA TEORÍA A LA PRÁCTICA

**Nieves Gomis Selva**
**Beatriz Delgado Domenech**
**María González García**
**Vicente Sánchez Colodrero**
**Irene Jover Mira**
**M.ª José León Antón**

Psicología evolutiva 3-6: de la teoría a la práctica

© Nieves Gomis Selva
   Beatriz Delgado Domenech
   María González García
   Vicente Sánchez Colodrero
   Irene Jover Mira
   M.ª José León Antón

ISBN: 978-84-9948-645-1
Depósito legal: A-18-2012

Edita: Editorial Club Universitario Telf.: 96 567 61 33
C/ Decano, n.º 4 – 03690 San Vicente (Alicante)
www.ecu.fm
e-mail: ecu@ecu.fm

Printed in Spain
Imprime: Imprenta Gamma Telf.: 96 567 19 87
C/ Cottolengo, n.º 25 – 03690 San Vicente (Alicante)
www.gamma.fm
gamma@gamma.fm

# ÍNDICE

# 1. PRESENTACIÓN

La permanente actualización, innovación e investigación que acompaña a la función docente es un claro indicador de calidad de cualquier institución educativa o equipo humano.

Para el Departamento de Psicología Evolutiva y Didáctica, el apoyo a iniciativas de formación y actualización docente, de creación de recursos y proyectos de investigación es un objetivo prioritario y fundamental.

Este material docente está diseñado para ser un material de referencia para el desarrollo de los créditos prácticos de la asignatura de Psicología Evolutiva de 3-6 años con el objetivo de aunar teoría con práctica y desarrollar las competencias laborales de los futuros profesionales del Grado de Maestro de Educación Infantil.

Su enfoque eminentemente práctico pretende, por tanto, acercar los contenidos teóricos de la asignatura a los prácticos mediante propuestas de trabajo diseñadas utilizando referencias actuales y estudios de casos reales. Esto hace que su contenido esté abierto y sujeto a una constante actualización, revisión y evaluación para mantener este objetivo fundamental.

Nieves Gomis Selva

Coordinadora de la asignatura
Psicología Evolutiva 3-6 años

## 2. INTRODUCCIÓN

La Universidad de Alicante está trabajando en la definición y planificación de las guías docentes de las asignaturas que conforman los títulos de Grado de Maestro, reestructurando los contenidos de los anteriores planes de estudio y desarrollando las metodologías de enseñanza según las orientaciones del Espacio Europeo de Educación Superior (EEES, RD 55/2005; Gilar, González, Mañas y Ordoñez, 2009).

Durante el curso académico 2010-2011 se han puesto en marcha los nuevos planes de estudio del título de Grado de Maestro en Educación Infantil en la Facultad de Educación.

El Departamento de Psicología Evolutiva y Didáctica como responsable de la docencia de la asignatura de Psicología Evolutiva 3-6 años está diseñando la guía docente de dicha asignatura. En este sentido, los docentes que la impartimos hemos tenido la necesidad de programar, diseñar y elaborar nuevos materiales y actividades para desarrollar las competencias y trabajar los contenidos concretados en el programa, con metodologías de trabajo más participativas, colaborativas y vinculadas a la realidad escolar.

Dicha asignatura es básica conforme a las directrices marcadas para la construcción del EEES.

Se trata de una asignatura situada en el segundo cuatrimestre del primer curso que capacita al estudiante en la adquisición de los conocimientos, manejo y comprensión de los principales aspectos de desarrollo humano de los 3 a los 6 años en sus distintas vertientes: física, intelectual, afectiva, social y moral.

El estudiante afronta desde un nivel de conocimientos previos inicial aportado desde la asignatura de Psicología Evolutiva de 0-3 años, cursada en el primer cuatrimestre, la consecución de los contenidos psicológicos de la asignatura integrando en la misma, a su vez, tanto los conocimientos del área temática propia, como los del campo más amplio de las ciencias de la educación.

La asignatura dispone de un amplio marco teórico y de un abanico de trabajos prácticos que ayudan al alumno a aproximarse a la realidad de su futura labor como docente en Educación Infantil.

Los objetivos específicos de la teoría son:
- Conocer y analizar los distintos factores que afectan al desarrollo humano (biológicos, psicológicos y sociales) de los 3 a los 6 años de edad.
- Comprender el desarrollo humano de los 3 a los 6 años en las dimensiones psicomotrices, cognitivas, lingüísticas, sociales, afectivas y morales.
- Conocer la coeducación como una estrategia psicopedagógica de largo alcance.

Los objetivos específicos de la práctica son:
- Favorecer la aplicación de los conocimientos desarrollados en la parte teórica.
- Fomentar las capacidades de análisis y síntesis.
- Trabajar en grupo las actividades de forma activa y consensuada.
- Utilizar fuentes bibliográficas relativas a los contenidos de la Psicología del Desarrollo de 3 a 6 años de edad, con criterio discriminativo y personal.

Los contenidos teóricos organizados en bloques son:
- Bloque I: El desarrollo psicomotor de 3 a 6 años.
- Bloque II: El desarrollo cognitivo de 3 a 6 años.
- Bloque III: El conocimiento de la realidad: la observación y la experimentación en Educación Infantil.
- Bloque IV: Génesis y formación de los principales conceptos.
- Bloque V: El desarrollo del lenguaje de 3 a 6 años.
- Bloque VI: El desarrollo de la personalidad de 3 a 6 años.
- Bloque VII: Relaciones sociales, familia, escuela e iguales. Influencia de los medios audiovisuales.

En cuanto a la temporalización, la asignatura tiene una carga de 6 créditos ECTS (3 teóricos y 3 prácticos).

Tal y como señala Bernal (2006), los créditos ECTS suponen una nueva manera de planificar y estructurar los procesos de enseñanza-aprendizaje teniendo como referencia las competencias profesionales que desarrollar en cada asignatura y los créditos asociados al trabajo y dedicación del estudiante. Esto modifica sustancialmente nuestro modo de enfocar los procesos de enseñanza-aprendizaje en las aulas demandando a los alumnos mayor responsabilidad, autonomía, implicación y compromiso.

Igualmente, como señala el Real Decreto 1125/2003, el crédito europeo es la unidad de medida del hacer académico que representa la cantidad de trabajo del estudiante para cumplir los objetivos del programa de estudio. En esta unidad de medida se integran las enseñanzas teóricas y prácticas, así como otras actividades académicas dirigidas, con inclusión de las horas de estudio y de trabajo que el alumno debe realizar para alcanzar los objetivos formativos propios de cada una de las materias del correspondiente plan de estudios.

Esto supone que en el crédito europeo se tienen en cuenta tanto las horas de asistencia a las clases teóricas y prácticas como el tiempo de preparación de las clases mismas, el estudio personal del alumno, el tiempo para preparar cualquier prueba de evaluación, así como otras actividades que puedan hacer los alumnos como trabajos dirigidos, prácticas, seminarios, etc. El crédito comprende, por tanto, las horas presenciales y todo el trabajo personal del alumno considerado no presencial.

Teniendo en cuenta todos estos aspectos, esta guía de prácticas tiene como objetivo fundamental la programación, diseño y elaboración de actividades para trabajar los créditos prácticos de la asignatura.

El conjunto de propuestas de trabajo conforma un *dossier* de prácticas diseñado teniendo en cuenta el desarrollo de las competencias propias de la asignatura.

Todas las actividades —fichas y casos— están diseñadas para complementar y profundizar en los contenidos teóricos desde una vertiente práctica y de aplicación directa en contextos reales.

La selección de temas y propuesta que tratar se basa en que todas ellas tratan variables personales y/o contextuales que pueden afectar al desarrollo evolutivo armónico del niño de 3 a 6 años.

Las actividades que realizar así como el orden de aplicación de las mismas serán a criterio del profesor o tutor dependiendo de las necesidades del grupo y del interés en los temas que tratar.

## 3. CONTENIDO DEL CUADERNO

## 3.1 FICHAS DE PRÁCTICAS

### 3.1.1 PRÁCTICA 1: ASPECTOS DEL DESARROLLO EVOLUTIVO EN LA LEGISLACIÓN

#### 3.1.1.1 INTRODUCCIÓN

Esta práctica pretende que el alumnado tenga un acercamiento al Decreto que establece el currículo del segundo ciclo de Educación Infantil en la Comunidad Valenciana desde el enfoque de la psicología evolutiva.

Se analizarán los aspectos principales del desarrollo: físico, cognitivo, afectivo, social y moral que aparecen en el Decreto y su importancia para la evolución del niño.

Del mismo modo, se estudiarán las variables contextuales (familia, escuela, entorno próximo, etc.) que influyen en dicho desarrollo.

#### 3.1.1.2 OBJETIVOS

1) Iniciar al alumnado en el análisis de los aspectos principales del desarrollo evolutivo expuestos en el Decreto 38/2008, de 28 de marzo, del Consell, por el que se establece el currículo del segundo ciclo de la Educación Infantil en la Comunitat Valenciana.

2) Comentar las diferencias principales existentes entre el primer ciclo y el segundo ciclo de Educación Infantil.

3) Analizar las aportaciones realizadas por los compañeros de clase, acerca de determinados elementos del Decreto 38/2008 de 28 de marzo, del Consell, por el que se establece el currículo del segundo ciclo de la Educación Infantil en la Comunitat Valenciana.

#### 3.1.1.3 PROCEDIMIENTO

**1.ª PARTE: Trabajo autónomo**

Lectura del Decreto 38/2008, de 28 de marzo, y elaboración de preguntas del cuestionario.

**2.ª PARTE: Trabajo tutorizado**

1) Con el análisis y las reflexiones de la lectura del Decreto y las preguntas elaboradas de manera individual, por parejas, se pondrán en común cada una de las cuestiones destacando los aspectos fundamentales, coincidencias y discrepancias. Cada uno de los miembros de la pareja, tomará nota de los aspectos más importantes.

2) En gran grupo, se pondrán en común las respuestas individuales junto a las respuestas establecidas en cada pareja. Todos los alumnos tomarán nota de las reflexiones y aspectos fundamentales que se comenten en clase y las incorporarán al informe de la práctica.

**3.ª PARTE: Trabajo autónomo**

Cada alumno elaborará por ordenador el INFORME DE LA PRÁCTICA según el siguiente esquema:

1) Introducción
2) Cuestionario individual
3) Reflexiones en pareja
4) Reflexiones en gran grupo y comentarios de clase
5) Valoración personal de la práctica

### 3.1.1.4 NORMAS DE TRABAJO

- Se debe utilizar un Lenguaje para la Igualdad en la Comunicación (LIC).
- La autoría de las fuentes consultadas se deberán citar en el apartado de bibliografía.
- Se deberá evitar la intertextualidad.
- El trabajo escrito tendrá la extensión que cada alumno estime oportuno para su realización (Letra ARIAL, tamaño12; justificado —alinear el texto en los márgenes derecho e izquierdo—; 1,5 interlineado de párrafo, y 2,5 para márgenes).
- El trabajo incluirá:
  o Portada
    ▪ Número y nombre de la práctica
    ▪ Grupo de prácticas al que pertenecen
    ▪ Grado
    ▪ Curso académico/Cuatrimestre
  o INFORME DE LA PRÁCTICA

### 3.1.1.5 ACTIVIDAD ALTERNATIVA

El alumno elaborará por ordenador el INFORME DE LA PRÁCTICA según el siguiente esquema:
1) Introducción
2) Cuestionario individual
3) Análisis comparativo del Decreto 37/2008 y Decreto 38/2008 que regulan el primer y el segundo ciclo de Educación Infantil respectivamente
4) Valoración personal de la práctica
5) Bibliografía

### CUESTIONARIO

Responde a las cuestiones siguientes tomando como referencia el contenido del Decreto 38/2008, de 28 de marzo.
1. ¿Qué contribuciones al desarrollo evolutivo aporta la Educación Infantil?
2. ¿Qué dimensiones se deben tener en cuenta durante la Educación Infantil?
3. ¿Qué importancia se le da a la relación familia-escuela en el Decreto?
4. ¿Para qué sirve este Decreto?
5. Enumera los principios generales que consideres más relevantes del segundo ciclo de Educación Infantil.
6. ¿Qué capacidades deberán desarrollar los alumnos durante este ciclo escolar?
7. ¿Cuáles son las áreas del segundo ciclo de Educación Infantil? Señala los aspectos fundamentales de cada una de las áreas.
8. ¿Qué características ha de tener la evaluación en el segundo ciclo de Educación Infantil? ¿Cuál es su finalidad? ¿Cuál es la técnica que más información aporta?
9. Indica los aspectos del desarrollo evolutivo (físico, intelectual, afectivo, social y moral) que aparecer en el Decreto.

10. Después del análisis del Decreto, según tu criterio, en nuestro sistema educativo y en nuestra sociedad, ¿qué tipo de persona queremos formar?

## BIBLIOGRAFÍA

Decreto 38/2008, de 28 de marzo, del Consell, *por el que se establece el currículo del segundo ciclo de la Educación Infantil en la Comunitat Valenciana* [2008/3838].

Decreto 37/2008, de 28 de marzo, del Consell, *por el que se establecen los contenidos educativos del primer ciclo de la Educación Infantil en la Comunitat Valenciana* [2008/3829].

## NOTAS

# NOTAS

NOTAS

# NOTAS

### 3.1.2 PRÁCTICA 2: ANÁLISIS COMPARATIVO DE LOS SISTEMAS EDUCATIVOS JAPONÉS Y ESPAÑOL

#### 3.1.2.1 INTRODUCCIÓN

El currículo del segundo ciclo de Educación Infantil en la Comunidad Valenciana queda regulado en el Decreto 38/2008. En él se recogen las distintas dimensiones y contenidos que trabajar, y el sistema de evaluación más propicio para esta etapa evolutiva. Este currículo se basa en los principios madurativos, así como los aspectos que como sociedad valoramos fundamentales para el desarrollo integral del niño. Sin embargo, estos valores sociales no siempre coinciden entre culturas o países, lo que puede hacer variar sensiblemente el currículo final.

En esta práctica se analizarán las similitudes y diferencias existentes entre los valores y procedimientos de nuestro sistema educativo y el sistema educativo japonés. A través de este análisis el alumno podrá reflexionar y poner en cuestión diferentes aspectos de los sistemas educativos y valorar críticamente los puntos fuertes y débiles de cada uno de ellos.

#### 3.1.2.2 OBJETIVOS

1) Analizar y comprender los principios que rigen el sistema educativo español y valorar las diferencias curriculares entre el sistema educativo español y japonés.
2) Reflexionar y tomar en consideración los valores que se transmiten desde las instituciones educativas.

#### 3.1.2.3 PROCEDIMIENTO

**1.ª PARTE: Trabajo tutorizado**

1. Se visualizará el vídeo "Niños japoneses, la competencia sin límites" del canal Documanía (http://www.youtube.com/watch?v=yamvQ4SU1Kk&feature=related, compuesto por cuatro partes).
2. Preguntas individuales. Una vez visto el vídeo, se responderán individualmente a las preguntas del cuestionario.
3. Los alumnos expondrán sus respuestas al resto de compañeros y se debatirán en grupo.
4. Los alumnos recogerán las aportaciones de los compañeros en la reflexión grupal para incluirlos en el apartado de reflexiones en gran grupo.

**2.ª PARTE: Trabajo autónomo**

Cada alumno elaborará por ordenador el INFORME DE LA PRÁCTICA según el siguiente esquema:
1) Introducción
2) Cuestionario individual
3) Reflexiones en gran grupo y comentarios de clase
4) Valoración personal de la práctica

#### 3.1.2.4 NORMAS DE TRABAJO

- Se debe utilizar un Lenguaje para la Igualdad en la Comunicación (LIC).
- La autoría de las fuentes consultadas se deberán referenciar en el apartado de bibliografía.

- Se deberá evitar la intertextualidad.
- El trabajo escrito tendrá una extensión máxima de 6 folios (Letra ARIAL, tamaño 12; justificado —alinear el texto en los márgenes derecho e izquierdo—; 1,5 interlineado de párrafo; y 2,5 para márgenes).
- El trabajo incluirá:
  o Portada
    ▪ Número y nombre de la práctica
    ▪ Grupo de prácticas al que pertenecen
    ▪ Grado
    ▪ Curso académico y cuatrimestre
  o INFORME DE LA PRÁCTICA

### 3.1.2.5 ACTIVIDAD ALTERNATIVA

El alumno elaborará por ordenador el INFORME DE LA PRÁCTICA según el siguiente esquema:
1) Introducción.
2) Cuestionario individual según vídeo "Niños japoneses, la competencia sin límites": http://www.youtube.com/watch?v=yamvQ4SU1Kk&feature=related.
3) Cuestionario bits de inteligencia tras la lectura de los artículos de Benlloch (2002) y Pérez-Olarte (2002).
4) Valoración personal de la práctica.
5) Bibliografía.

### CUESTIONARIO

1. El vídeo señala la importancia de la competitividad dentro del sistema educativo nipón reflejado en pruebas psicomotrices previas a la escuela infantil. ¿Opinas que los niños antes de empezar el segundo ciclo de Educación Infantil deberían de ser formados para controlar los berrinches y mejorar el rendimiento en las tareas académicas? ¿Consideras que este método potenciaría más eficazmente el desarrollo en los niños? Justifica tus respuestas.
2. La meta principal del sistema educativo japonés es crear ciudadanos exitosos y sobresalientes, ¿Qué valoración tienes respecto a la potenciación del esfuerzo y de la excelencia académica desde la infancia? ¿Consideras que este sistema orientado hacia el éxito y el logro puede marcar la personalidad y la orientación motivacional de los alumnos, así como la manera de enfrentarse a las tareas escolares? Justifica tu respuesta.
3. ¿Qué diferencias encuentras respecto a los valores del sistema educativo español?
4. ¿Qué opinas respecto al sistema de estimulación cognitiva de la escuela Shichida? En el caso de que fuera efectivo, ¿consideras que este facilitaría el desarrollo de la creatividad en los niños? Justifica tu respuesta.
5. Dentro del sistema educativo japonés encontramos la importancia del respeto por la figura del profesor y la obediencia. ¿Consideras un aspecto que potenciar en nuestras aulas? Justifica tu respuesta. ¿De qué manera intervendrías en un aula de Educación Infantil para fomentar estos valores?
6. Otro objetivo fundamental del currículo nipón es el desarrollo de la personalidad a través de la disciplina en aspectos intelectuales, físicos, artísticos, estéticos y morales. ¿Consideras que puede existir otro principio que pueda ser el eje vertebrador del desarrollo y el aprendizaje? ¿Podrían ser compatibles junto a la disciplina?
7. Los estudiantes japoneses son responsables de la limpieza de aulas y pasillos. ¿Qué cualidades crees que potencia esta medida? ¿Qué estrategias utilizarías en estudiantes de segundo ciclo de Educación Infantil para potenciar su responsabilidad en el cuidado del entorno educativo?

8. La integración social de los alumnos es un factor que destacar para el bienestar de los niños. ¿Crees que nuestro sistema educativo trata eficazmente la integración y el respeto entre los escolares? Justifica tu respuesta.

9. Existe un gran número de estudiantes que abandona el sistema educativo por motivos de falta de integración en el sistema escolar y por el malestar ante un sistema educativo competitivo y colectivista. ¿Consideras que es el motivo principal del abandono escolar en nuestro país? ¿Cuáles crees que son los motivos para fracasar académicamente en nuestro sistema educativo?

10. Realiza un resumen de las ideas centrales del vídeo "Niños japoneses, la competencia sin límites" y una reflexión crítica sobre su contenido (extensión máxima 2 folios).

## CUESTIONARIO BITS DE INTELIGENCIA

La estimulación cognitiva a través de los bits de inteligencia (ej. Escuela de Shichida, Japón). consiste en la enseñanza de palabras mediante la asociación (aprendizaje asociativo) y repetición de fichas fotográficas que contienen el nombre y una breve descripción de la imagen. La exposición de las fichas es breve (menos de 12 segundos) y el tramo de edad en la que mayor potencial se desarrolla a través de esta estrategia es la Educación Infantil. El contenido de las fichas suelen ser músicos, pintores, animales, edificios emblemáticos, entre otros.

1) ¿Qué ventajas y limitaciones tiene el uso de dicha metodología de enseñanza para el aprendizaje de nombres? ¿Y para el aprendizaje de conceptos complejos?

2) ¿Qué ventajas y limitaciones tiene para el desarrollo afectivo y social del niño?

3) ¿A través de qué estrategias se podrían utilizar los bits de inteligencia para enseñar conceptos y significados complejos?

## 3.1.2.6 BIBLIOGRAFÍA

Benlloch, M. (2002). D'il·lusió també s'ensenya: Els bits d'intel·ligència o com aprendre a dir noms. *Infancia, 124*, 7-11.

Canal Documanía (1998). *Niños japoneses, la competencia sin límites* [Video]. Disponible en: http://www.youtube.com/watch?v=yamvQ4SU1Kk&feature=related

Decreto 38/2008, de 28 de marzo, del Consell, *por el que se establece el currículo del segundo ciclo de la Educación Infantil en la Comunitat Valenciana* [2008/3838].

Pérez- Olarte, P. (2002). Els bits d'intel·ligència: consideracions des de la vessant neurològica i del desenvolupament. *Infancia, 124*, 34-36.

# NOTAS

__NOTAS__

# NOTAS

NOTAS

# NOTAS

### 3.1.3 PRÁCTICA 3: DESARROLLO PSICOMOTOR DE 3-6 AÑOS

#### 3.1.3.1 INTRODUCCIÓN

La psicomotricidad intenta poner en relación dos elementos: lo psíquico y lo motriz. Se trata de algo referido básicamente al movimiento, pero con connotaciones psicológicas que superan lo puramente biomecánico. La psicomotricidad se ocupa, por tanto, del movimiento humano en sí mismo y de la comprensión del movimiento como factor de desarrollo y expresión del individuo en relación con su entorno (Berruezo, 1995, 1996, 2000).

La definición consensuada por las asociaciones de psicomotricidad españolas indican que, desde una visión global de la persona, el término "psicomotricidad" integra las interacciones cognitivas, emocionales, simbólicas y sensomotrices en la capacidad de ser y expresarse en un contexto psicosocial. La psicomotricidad, así entendida, desempeña un papel fundamental en el desarrollo armónico de la personalidad.

Para Bernard Aucouturier (1997) hablar de psicomotricidad es hablar de un periodo de maduración psicológica del niño en el cual el aspecto sensomotriz, el juego y la acción son fundamentales en su desarrollo psicológico.

A lo largo de esta práctica pretendemos conocer los aspectos fundamentales del desarrollo psicomotor de los niños de 3 a 6 años a partir del análisis y el estudio de distintos enfoques de enseñanza-aprendizaje, centrándonos fundamentalmente en el enfoque de la Psicomotricidad Relacional, para conocer sus posibilidades de contribución al desarrollo global del niño.

#### 3.1.3.2 OBJETIVOS

1) Analizar a través de la observación rigurosa distintas situaciones de enseñanza-aprendizaje en una sesión de psicomotricidad.

2) Identificar los aspectos fundamentales del desarrollo psicomotor que aparecen en el vídeo y las relaciones que se establecen entre el niño y el maestro.

3) Comparar distintos enfoques de enseñanza-aprendizaje relacionados con el desarrollo de la psicomotricidad analizando sus ventajas e inconvenientes.

4) Ampliar el conocimiento sobre los aspectos fundamentales del desarrollo psicomotor infantil a partir de la búsqueda y la reflexión de información encontrada en distintas fuentes documentales (web, libros, artículos, etc).

#### 3.1.3.3 PROCEDIMIENTO

**1.ª PARTE: Trabajo tutorizado**

1) La práctica se iniciará a partir de la discusión y el debate sobre los conocimientos previos del alumnado acerca de lo que conocen sobre el desarrollo psicomotriz, comentarios de experiencias y actividades que hayan llevado a cabo, ventajas e inconvenientes de distintas prácticas psicomotrices, etc.

2) En segundo lugar, el profesor comentará, a partir del vídeo "Desarrollo psicomotor" (personal, no está en la web) y un presentación digital de aspectos teóricos fundamentales, las características del desarrollo psicomotiz en la infancia, así como distintas experiencias de enseñanza-aprendizaje que aparecen en el vídeo.

3) Todos los alumnos tomarán nota de las reflexiones y aspectos fundamentales que se comenten en clase y lo incorporarán al informe de la práctica.

**2.ª PARTE: Trabajo autónomo**

Cada alumno elaborará por ordenador el INFORME DE LA PRÁCTICA según el siguiente esquema:
1. Introducción.
2. Cuestionario individual.
3. Ampliación del tema "Psicomotricidad Relacional" a partir de una búsqueda bibliográfica sobre: características, ventajas, inconvenientes, bibliografía y fuentes de interés, etc.
4. Valoración general de la práctica.

### 3.1.3.4 NORMAS DE TRABAJO

- Se debe utilizar un Lenguaje para la Igualdad en la Comunicación (LIC).
- La autoría de las fuentes consultadas se deberán citar a pie de página y en la bibliografía.
- Se deberá evitar la intertextualidad.
- El trabajo escrito tendrá la extensión que cada alumno estime oportuno para su realización (Letra ARIAL, tamaño12; justificado —alinear el texto en los márgenes derecho e izquierdo—; 1,5 interlineado de párrafo; y 2,5 para márgenes).
- El trabajo incluirá:
  o Portada
    ▪ Número y nombre de la práctica
    ▪ Grupo de prácticas al que pertenecen
    ▪ Grado
    ▪ Curso académico/cuatrimestre
  o INFORME DE LA PRÁCTICA

### 3.1.3.5 ACTIVIDAD ALTERNATIVA

El alumno elaborará por ordenador el INFORME DE LA PRÁCTICA según el siguiente esquema:
1) Introducción.
2) Comentario y análisis crítico.
3) Elaboración del tema "Psicomotricidad Relacional" a partir de una búsqueda bibliográfica sobre: características, ventajas, inconvenientes, bibliografía y fuentes de interés, etc.
4) Valoración general de la práctica.
5) Bibliografía.

### CUESTIONARIO

1. Observa y anota las distintas situaciones de enseñanza-aprendizaje que se dan en el vídeo.
2. Describe: los alumnos, el espacio, los materiales y la utilización del tiempo.
3. Analiza:
   a. Los distintos aspectos del desarrollo psicomotriz que aparecen en el vídeo: psicomotricidad gruesa, psicomotricidad fina, esquema corporal, lateralidad, etc.
   b. Las relaciones que se establecen entre los iguales y entre los niños y el maestro.
4. Interpreta profesionalmente las distintas situaciones de enseñanza-aprendizaje.
5. Elabora un juicio crítico sobre las ventajas e inconvenientes que encuentras en este tipo de actividades.

### 3.1.3.6 BIBLIOGRAFÍA

Aucouturier, B. (1997). Introducción a la Práctica Psicomotriz. *Aula de Innovación Educativa, 136,* 79-83.

Berruezo, P. P. (1995). El cuerpo, el desarrollo y la psicomotricidad. *Psicomotricidad. Revista de estudios y experiencias. 49,* 15-26.

Berruezo, P. P. (1996). La psicomotricidad en España: de un pasado de incomprensión a un futuro de esperanza. *Psicomotricidad. Revista de Estudios y Experiencias, 53,* vol. 2, 57-64

Berruezo, P. P. (2000). El contenido de la psicomotricidad, en Bottini, P. (ed.) *Psicomotricidad: prácticas y conceptos.* 43-99. Madrid: Miño y Dávila.

Biniés, P. (1997). La práctica psicomotriu: El joc i la acció. *Infància Revista de l'Associació de mestres Rosa Sensat, 94.* 9-11.

Irastorza, A. (2011). *Abordaje emocional desde la psicomotricidad relacional* [Video]. Disponible en: http://www.youtube.com/watch?v=B-VJnyCCtMU&feature=player_embedded

# NOTAS

# NOTAS

# NOTAS

### 3.1.4 PRÁCTICA 4: EL DESARROLLO DE LA ESCRITURA

### 3.1.4.1 INTRODUCCIÓN

A través de esta práctica se pretende iniciar al alumnado en el proceso enseñanza-aprendizaje de la escritura. Para ello, analizaremos y describiremos las distintas etapas del desarrollo de la escritura desde un enfoque constructivista según Emilia Ferreiro y Ana Teberosky, las cuales han establecido una progresión del proceso de aprendizaje del sistema de escritura desarrollando cinco hipótesis sobre la lengua escrita. También se pretende que el alumnado conozca las distintas teorías y metodologías de la lectoescritura que abordan la enseñanza y el aprendizaje de la misma.

### 3.1.4.2 OBJETIVOS

1) Iniciar al alumnado en las pautas que tener en cuenta a la hora de realizar una observación, así como iniciarles en el uso de instrumentos para la recogida de información mediante la observación directa (protocolo de observación y estilos de trabajo).
2) Conocer las distintas fases en el desarrollo de la escritura del niño en sus primeros años según E. Ferreiro.
3) Clasificar las distintas expresiones escritas, realizadas por diversos niños de entre 3 y 6 años de edad, atendiendo a las características que presentan cada una de las fases en el desarrollo de la escritura.

### 3.1.4.3 PROCEDIMIENTO

#### 1.ª PARTE: Trabajo autónomo

Se recogerán 3 fichas de evaluación lectoescritora (Anexo 8.2.), cumplimentadas por niños de entre 3 y 6 años de edad.

En todo momento se atenderá a las pautas de observación indicadas en clase así como al protocolo adjunto a esta práctica.

#### 2.ª PARTE: Trabajo tutorizado

Clasificar y justificar las fichas de evaluación escritora recogidas, atendiendo a las características que presenta cada una de las fases del desarrollo de la escritura según E. Ferreiro, presentadas en clase (Anexo 8.1b).

#### 3.ª PARTE: Trabajo autónomo

Cada alumno elaborará por ordenador el INFORME DE LA PRÁCTICA según el siguiente esquema:

1. Introducción.
2. Clasificación de las fichas de evaluación escritora recogidas (fases), donde figurará en cada una de ellas:
   a. Nombre del niño, edad cronológica, variables que se estén manifestando...
   b. Desarrollo de la práctica:
      - Disposición del niño: interés, implicación, motivación hacia el trabajo (escritura), etc. (Anexo 8.4)
      - Estilos de trabajo (Anexo 8.4): forma de enfrentarse a la actividad, etc.

- Características destacables del niño y del contexto: tiempo, lugar, estimulación, etc. (Anexo 8.5).
3. Justificación de la evaluación.
4. Conclusiones.
5. Valoración de la práctica.
6. Bibliografía

### 3.1.4.4 NORMAS DE TRABAJO

- Se debe utilizar un Lenguaje para la Igualdad en la Comunicación (LIC).
- La autoría de las fuentes consultadas se deberá citar en el apartado de bibliografía.
- Se deberá evitar la intertextualidad.
- El trabajo escrito tendrá la extensión que cada alumno estime oportuno para su realización (Letra ARIAL, tamaño12; justificado —alinear el texto en los márgenes derecho e izquierdo—; 1,5 interlineado de párrafo; y 2,5 para márgenes).
- Incluirá:
  o Portada
    ▪ Número y nombre de la práctica
    ▪ Grupo de prácticas al que pertenecen
    ▪ Grado
    ▪ Curso académico/cuatrimestre
  o INFORME DE LA PRÁCTICA

### 3.1.4.5 ACTIVIDAD ALTERNATIVA

El alumno elaborará por ordenador el INFORME DE LA PRÁCTICA según el siguiente esquema:
1) Introducción.
2) Comentar y reflexionar las ideas fundamentales contenidas en dos de los artículos siguientes:
   - Tolchinsky, L., y Ríos, I. (2009). ¿Qué dicen los maestros que hacen para enseñar a leer y a escribir? *Aula de Innovación Educativa, 179*, 24-28.
   - Adroher, O., Casanova, A., Navarra, L. y Rius, M. (1995). L'ensenyament-aprenentatge de la lectoescriptura sota enfocament constructivista. *Guix, 213-214*, 99-106.
   - Solé, I. (2000). Leer, escribir y aprender. *Aula de Innovación Educativa, 96*, 6-9.

### 3.1.4.6 BIBLIOGRAFÍA

Adroher, O., Casanova, A., Navarra, L. y Rius, M. (1995). L'ensenyament-aprenentatge de la lectoes-criptura sota enfocament constructivista. *Guix, 213-214*, 99-106.
Bettelheim, B. y Zelan, K. (2001). *Aprender a leer*. Ed. Crítica.
Castells, N. (2009). La problemática de los métodos de enseñanza de la lectura: ¿qué sabemos en este momento? *Aula de Innovación Educativa, 179*, 29-32.
Doman, G. (2008). *Cómo enseñar a leer a su bebé*. Madrid: Ed. Edaf.
Ferreiro, E. (1998). *Nuevas perspectivas sobre los procesos de lectura y escritura*. Madrid: Ed. Siglo XXI.
Guerrero, P. y López, A. (1999). *El taller de la lengua y la literatura*. Murcia: Ed. Regional.
Maruny, LL., Ministral, M. y Miralles, M. (1997). *Escribir y leer*. MEC: ed. Edelvives.
Solé, I. (1992). *Estrategias de lectura*. Barcelona: Ed. Graó.
Solé, I. (2000). Leer, escribir y aprender. *Aula de Innovación Educativa, 96*, 6-9.
Teberosky, A. (1992). *Aprendiendo a escribir*. Barcelona: Horsori-ICE.

Teberosky, A. y Ferreiro, E. (1979). *Los sistemas de escritura en el desarrollo del niño*. Madrid: Ed. Siglo XXI.

Tolchinsky, L. y Teberosky, A. (1992). Al pie de la letra. *Infancia y aprendizaje, 59/60*, 101-30.

Tolchinsky, L., y Ríos, I. (2009). ¿Qué dicen los maestros que hacen para enseñar a leer y a escribir? *Aula de Innovación Educativa, 179*, 24-28.

# **<u>NOTAS</u>**

# NOTAS

# NOTAS

## 3.1.5 PRÁCTICA 5: COEDUCACIÓN

### 3.1.5.1 INTRODUCCIÓN

La escuela infantil no es un lugar neutral. En ella se transmiten valores, modelos, estereotipos y también se reproducen y perpetúan desigualdades de género. Los estereotipos y los roles asociados a los géneros masculino y femenino, entendidos como construcciones socioculturales, comienzan a configurarse en los inicios del desarrollo social de los niños y niñas. Durante el 2.º ciclo Educación Infantil, entre 3 y 6 años, los niños empiezan a construir su identidad, de acuerdo a los comportamientos que se asignan socialmente a cada sexo.

Coeducar significa "educar a las personas al margen de los roles y estereotipos que nos impone la sociedad, de manera que tengan las mismas oportunidades y no se les impongan diferencias socioculturales (juguetes, colores, formas de comportarse, etc.) por ser varón o por ser mujer". Por este motivo, coeducar no es educar en las mismas aulas a las niñas y a los niños, sino propiciar un cambio en la cultura de la escuela infantil. Este cambio se basa en el cuidado de las relaciones cotidianas en la escuela infantil, promoviendo una educación afectiva que favorezca relaciones en igualdad y rechace la violencia, los prejuicios y los comportamientos sexistas desde edades tempranas y promueva la resolución pacífica de conflictos.

Con esta práctica, intentaremos mostrar una experiencia educativa, que promueva la igualdad de género en el alumnado de Educación Infantil.

### 3.1.5.2 OBJETIVOS

1) Iniciar al alumnado en la necesidad de crear centros escolares coeducativos.
2) Ofrecer diversas herramientas y material práctico para la coeducación.
3) Realizar una búsqueda bibliográfica para analizar, conocer e investigar sobre la coeducación.
4) Conocer y adquirir un vocabulario específico de la igualdad de género, además de fomentar un lenguaje no sexista y visibilizador.

### 3.1.5.3 PROCEDIMIENTO

#### 1.ª PARTE: Trabajo tutorizado

1. Por medio de una presentación se analizará la experiencia del trabajo coeducativo del CEIP Maestro D. Ricardo Leal de Monóvar (Alicante). Escuela galardonada con el premio Activa 09 de la Diputación de Alicante al mejor trabajo coeducativo de la Provincia y Mención honorífica del Consejo Escolar Valenciano en la última convocatoria de los premios de coeducación.
2. La exposición tiene el propósito de proporcionar reflexiones que ayuden al alumnado a desarrollar actitudes que impacten en contra de la desigualdad y herramientas pedagógicas que favorezcan el aprendizaje y la convivencia en una sociedad de igualdad y respeto.

#### 2.ª PARTE: Trabajo autónomo

1. Lectura de un artículo sobre la construcción de la identidad de género en la infancia.

Rodríguez Menéndez M.C., Torío López S. (2005). El discurso de género del profesorado de educación infantil: hablando acerca de la ética del cuidado. *Revista Complutense de Educación, 16* (2), 471-487.
Disponible en: http://revistas.ucm.es/edu/11302496/articulos/RCED0505220471A.PDF

2. El alumnado realizará una búsqueda bibliográfica sobre la igualdad de género y la coeducación, profundizando en la etapa de educación infantil.

3. También se elaborará por ordenador el INFORME DE LA PRÁCTICA según el siguiente esquema:

   1. Introducción.
   2. Reseña de la experiencia coeducativa (cuestionario).
   3. Resumen de las ideas más importantes del artículo propuesto y su relación con la exposición del centro educativo.
   4. Descripción de la búsqueda bibliográfica sobre la igualdad de género y la coeducación.
   5. Valoración personal de la práctica.

### 3.1.5.4 NORMAS DE TRABAJO

- Se debe utilizar un Lenguaje para la Igualdad en la Comunicación (LIC).
- La autoría de las fuentes consultadas se deberán citar a pie de página y/o en la bibliografía.
- Se deberá evitar la intertextualidad.
- El trabajo escrito tendrá la extensión que cada alumno estime oportuno para su realización (Letra ARIAL, tamaño12; justificado —alinear el texto en los márgenes derecho e izquierdo—; 1,5 interlineado de párrafo; y 2,5 para márgenes).
- Incluirá:
  o Portada
    ▪ Número y nombre de la práctica
    ▪ Grupo de prácticas al que pertenecen
    ▪ Grado
    ▪ Curso académico/cuatrimestre (2010–2011)
  o INFORME DE LA PRÁCTICA

### 3.1.5.5 ACTIVIDAD ALTERNATIVA

El alumno elaborará por ordenador el INFORME DE LA PRÁCTICA según el siguiente esquema:
1) Introducción.
2) Una propuesta didáctica de coeducación en Educación Infantil.
3) Realizar los puntos 1, 3, 4 y 5 del informe de prácticas.
4) Bibliografía.

### CUESTIONARIO

Responde a las siguientes cuestiones después de la exposición:

1. ¿Qué contribuciones aporta la coeducación en la Educación Infantil?
2. ¿Qué importancia se le da al trabajo en todos los sectores educativos del centro educativo?
3. ¿Qué estrategias se utilizan para realizar un trabajo coeducativo en el centro?
4. ¿Crees que nuestro sistema educativo desarrolla una política clara en materia coeducativa?
5. ¿Qué diferencias encuentras respecto a la escuela mixta?
6. ¿Consideras que la coeducación potencia más eficazmente el desarrollo de la igualdad de género?

## 3.1.5.6 BIBLIOGRAFÍA

Simón Rodríguez, M.E. (2008). *Hijas de la Igualdad, herederas de injusticia*. Madrid: Narcea.

Simón Rodríguez, M.E (2010). *La Igualdad también se aprende. Cuestión de Coeducación*. Narcea ed. Madrid.

Rodríguez Menéndez M.C. y Torío López S. (2005). El discurso de género del profesorado de educación infantil: hablando acerca de la ética del cuidado. *Revista Complutense de Educación,* 16 (2), 471-487. Disponible en: http://revistas.ucm.es/edu/11302496/articulos/RCED0505220471A.PDF

Subirats, M. y Brullet, C. (1988). Rosa y azul. La transmisión de los géneros en la escuela mixta. *Instituto de la Mujer. Serie Estudios n.º 19.*

Subirats, M. y Tomé, A. (2007). *Balones fuera. Reconstruir los espacios desde la coeducación*. Barcelona: Octaedro.

Enlaces de interés:
https://www.educacion.es/intercambia/portada.do
http://coeduelda.blogspot.com/
http://www.educandoenigualdad.com/

# **<u>NOTAS</u>**

**<u>NOTAS</u>**

# NOTAS

# NOTAS

### 3.1.6 PRÁCTICA 6: EL DESARROLLO DEL GRAFISMO

#### 3.1.6.1 INTRODUCCIÓN

La expresión plástica es un medio de expresión y de comunicación fundamental en la etapa de Educación Infantil donde el niño tiene la posibilidad de manifestar sus deseos, emociones y sentimientos.

Por tanto, los futuros docentes, han de conocer este lenguaje para comprender cómo el niño percibe el mundo exterior e interior y determinar el momento evolutivo en el que se encuentra.

Esta práctica pretende analizar los diversos aspectos y características más relevantes en relación con los dibujos de los niños, tomando como referencia las etapas del grafismo propuestas por Lowenfeld (1980).

#### 3.1.6.2 OBJETIVOS

1) Iniciar al alumnado en las pautas que tener en cuenta a la hora de realizar una observación, así como iniciarles en el uso de instrumentos para la recogida de información mediante la observación directa —protocolo de observación y estilos de trabajo— (Anexo 8.4 y 8.5).
2) Conocer las distintas fases en el desarrollo del grafismo en sus primeros años.
3) Clasificar las distintas producciones artísticas, realizadas por diversos niños de entre 3 y 6 años de edad, atendiendo a las características que presentan cada una de las fases en el desarrollo del dibujo.

#### 3.1.6.3 PROCEDIMIENTO

##### 1.ª PARTE: Trabajo autónomo

Se recogerán 3 o 4 dibujos realizados por niños de entre 3 y 6 años de edad.

##### 2.ª PARTE: Trabajo tutorizado

Analizar y clasificar los dibujos a partir de las fases en el desarrollo del grafismo presentadas en clase justificando la respuesta.

##### 3.ª PARTE: Trabajo autónomo

Cada alumno elaborará por ordenador el INFORME DE LA PRÁCTICA según el siguiente esquema:

1. Introducción.
2. Clasificación de los dibujos de los niños recogidos (fases):
   a. Nombre del niño, edad cronológica, variables que se estén manifestando…
   b. Desarrollo de la práctica:
      • Ficha de observación de actividad: variables personales y contextuales (Anexo 8.5).
      • Protocolo de observación de estilos de trabajo: motivación hacia el trabajo, implicación, interés, persistencia, etc. (Anexo 8.4).
3. Justificación de la evaluación.
4. Conclusiones.
5. Valoración de la práctica.
6. Bibliografía.

### 3.1.6.4 NORMAS DE TRABAJO

- Se debe utilizar un Lenguaje para la Igualdad en la Comunicación (LIC).
- La autoría de las fuentes consultadas se deberán citar en el apartado de bibliografía.
- Se deberá evitar la intertextualidad.
- El trabajo escrito tendrá la extensión que cada alumno estime oportuno para su realización (Letra ARIAL, tamaño12; justificado —alinear el texto en los márgenes derecho e izquierdo—; 1,5 interlineado de párrafo; y 2,5 para márgenes).
- El trabajo incluirá:
  o Portada
    - Número y nombre de la práctica
    - Grupo de prácticas al que pertenecen
    - Grado
    - Curso académico/cuatrimestre
  o INFORME DE LA PRÁCTICA

### 3.1.6.5 ACTIVIDAD ALTERNATIVA

El alumno elaborará por ordenador el INFORME DE LA PRÁCTICA según el siguiente esquema:
1) Introducción.
2) Comentar y reflexionar las ideas fundamentales contenidas en dos de los artículos siguientes:
   - Quiroga, P. (2007). ¿Qué dibujan los niños? Constructivismo y ambientalismo en el dibujo infantil. *Revista Papeles Salmantinos de Educación, 8.*
   - Quiroga, P. (2007). Dibujo infantil desde la perspectiva constructivista, una propuesta para su análisis en el aula. *Revista Papeles Salmantinos de Educación, 8.*

### 3.1.6.6 BIBLIOGRAFÍA

Bernson, M. (1962). *Del garabato al dibujo (Evolución gráfica de los niños pequeños).* Buenos Aires: Ed. Kapelusz.

Lowenfeld, V. (1958). *El niño y su arte.* Buenos Aires: Ed. Kapelusz.

Lowenfeld, V. (1992). *Desarrollo de la capacidad creadora.* Buenos Aires: Ed. Kapelusz.

Quiroga, P. (2007). ¿Qué dibujan los niños constructivismo y ambientalismo en el dibujo infantil? *Revista Papeles Salmantinos de Educación, 8.*

Quiroga, P. (2007). Dibujo infantil desde la perspectiva constructivista, una propuesta para su análisis en el aula. *Revista Papeles Salmantinos de Educación, 8.*

Romano, M.E. (1975). *El dibujo de la figura humana como técnica proyectiva.* Madrid: Ed. Gredos.

# NOTAS

# NOTAS

### 3.1.7 PRÁCTICA 7: *PENALTY*

### 3.1.7.1 INTRODUCCIÓN

El desarrollo integral de los niños depende en gran medida de las experiencias vividas en el entorno familiar. El cuidado, el afecto y, por consiguiente, el apego mantenido entre padres, madres y el niño generan vínculos afectivos fundamentales que repercuten directamente sobre el bienestar y desarrollo del menor. Sin embargo, y por desgracia, la desprotección infantil (maltrato y negligencia) sigue siendo una lacra para nuestra sociedad, estando también presente en las aulas de Educación Infantil. En este contexto, es fundamental que los futuros maestros sean capaces de detectar y manejar eficazmente posibles casos de maltrato y/o negligencia infantil dentro de la familia, con el fin de minimizar su impacto en el desarrollo del niño.

En esta práctica se sensibilizará al estudiante y se visibilizará la problemática del maltrato en el hogar y las herramientas que posee como docente para intervenir en casos de desprotección infantil.

### 3.1.7.2 OBJETIVOS

1) Analizar a partir del visionado del corto *Penalty* algunas de las principales variables del contexto familiar que influyen en el desarrollo evolutivo del niño.
2) Debatir en pequeño grupo las ideas extraídas del corto, proponiendo medidas de actuación conjunta.
3) Poner en común las aportaciones personales y de pequeño grupo, reflexionando sobre el posible impacto de algunas variables familiares en el desarrollo evolutivo del la niño.
4) Reflexionar y sensibilizar sobre el papel del docente ante alumnos procedentes de familias desfavorecidas.
5) Iniciar al alumnado en el uso de herramientas de evaluación sobre situaciones de desprotección.
6) Conocer las estrategias de colaboración y actuación conjunta entre la escuela y los servicios sociales como medida de protección del menor y de la familia en la Generalitat Valenciana.

### 3.1.7.3 PROCEDIMIENTO

#### 1º PARTE: Trabajo autónomo

Lectura de la Orden 1/2010, de 3 de mayo, de la Consellería de Educación y de la Consellería de Bienestar Social (DOGV N.º 6276), por la que se implanta la hoja de notificación de la posible situación de desprotección del menor, detectada desde el ámbito educativo en la Comunidad Valenciana y se establece la coordinación interadministrativa para la protección integral de la infancia.

#### 2º PARTE: Trabajo tutorizado

1. La práctica se iniciará con el visionado del corto *Penalty,* de la directora Ana Martínez (no localizable en Internet). Posteriormente y de manera individual los alumnos escribirán las primeras impresiones, percepciones e ideas que les haya sugerido el corto.
2. Los alumnos analizarán y reflexionarán en parejas el contenido del corto y pondrán en común sus ideas y percepciones, elaborando un informe conjunto que refleje las siguientes cuestiones:
   a) ¿Cómo actuaríais si, como maestros, os enteraseis de que un alumno vuestro sufre una situación familiar como la del niño que aparece en el corto?
   b) Proponed algunas medidas para luchar, desde la escuela, contra este tipo de situaciones.

   c) Conclusiones comunes a las que habéis llegado sobre los comentarios del corto. Estas ideas se expondrán al final al resto de compañeros así como los conocimientos previos de cada alumno sobre el tema.

3. Se volverá a visionar el corto analizando con más detalle los aspectos fundamentales y realizando una interpretación profesional de aquellas variables familiares que aparecen en el corto que influyen de manera determinante en el desarrollo evolutivo del niño.

4. En gran grupo se debatirán las ideas fundamentales y se realizará una conclusión común sobre las variables familiares que influyen de manera determinante en el desarrollo evolutivo del niño.

5. Para finalizar, se analizará y comentará la Orden 1/2010, de 3 de mayo, de la Consellería de Educación y de la Consellería de Bienestar Social (DOGV n.º 6276), a través de las preguntas siguientes:

   a) Según la Orden 1/2010, ¿qué papel tienen los docentes en la detección de casos de desprotección en la infancia?

   b) ¿Qué procedimiento se debe llevar a cabo, desde la escuela, en casos de desprotección del menor?

   c) ¿Qué herramienta tienen en su mano los maestros para informar y denunciar posibles casos de desprotección?

   d) ¿Qué dimensiones e indicadores recoge dicha hoja de notificación?

## 3.º PARTE: Trabajo autónomo

A partir de las notas, reflexiones y conclusiones obtenidas en clase de manera individual, en parejas y en gran grupo, el alumno elaborará el INFORME DE LA PRÁCTICA que contendrá los siguientes apartados:

1. Introducción.
2. Informe individual sobre primeras impresiones, percepciones, sugerencias e ideas del corto *Penalty*.
3. Informe de puesta en común, conclusiones y posibles medidas de actuación ante alumnos con necesidades de compensación educativa elaborado en pareja (nombre de cada uno de la pareja).
4. Puesta en común grupal e interpretación profesional sobre algunas de las principales variables familiares que influyen en el desarrollo evolutivo del la niño.
5. Análisis y reflexión sobre la Orden 1/2010, de 3 de mayo, de la Consellería de Educación y de la Consellería de Bienestar Social (DOGV n.º 6276) —respuesta a las preguntas propuestas—.
6. Valoración general de la práctica.
7. Bibliografía.

## 3.1.7.4 NORMAS DE TRABAJO

- Se debe utilizar un Lenguaje para la Igualdad en la Comunicación (LIC).
- La autoría de las fuentes consultadas se deberán citar a pie de página y en la bibliografía.
- Se deberá evitar la intertextualidad.
- El trabajo escrito tendrá la extensión que cada alumno estime oportuno para su realización (Letra ARIAL, tamaño12; justificado —alinear el texto en los márgenes derecho e izquierdo—; 1,5 interlineado de párrafo; y 2,5 para márgenes).
- El trabajo incluirá:
  - o Portada
    - ▪ Número y nombre de la práctica
    - ▪ Grupo de prácticas al que pertenecen

- Grado
- Curso académico/cuatrimestre
o INFORME DE LA PRÁCTICA

## 3.1.7.5 ACTIVIDADES ALTERNATIVAS

La práctica la realizará a partir del visionado de la película *El bola* del director y guionista Achero Mañas elaborando el siguiente informe.

1. Introducción.
2. Breve sinopsis de la película.
3. Cuestionario.
4. Análisis y reflexión sobre la Orden 1/2010, de 3 de mayo, de la Consellería de Educación y de la Consellería de Bienestar Social (DOGV n.º 6276) a través de las preguntas siguientes.
   a) Según la Orden 1/2010, ¿qué papel tienen los docentes en la detección de casos de desprotección en la infancia?
   b) ¿Qué procedimiento se debe llevar a cabo desde la escuela en casos de desprotección del menor?
   c) ¿Qué herramienta tienen en su mano los maestros para informar y denunciar posibles casos de desprotección?
   d) ¿Qué dimensiones e indicadores recoge dicha hoja de notificación?
5. Valoración general de la práctica.
6. Bibliografía

## CUESTIONARIO

1. ¿Qué aspectos destacarías de la película? ¿Por qué?
2. ¿Qué variables del contexto familiar que aparecen en la película consideras que pueden afectar en mayor o menor medida al desarrollo evolutivo del niño? Razona tu respuesta.
3. ¿Consideras que la película refleja la realidad de una minoría de la sociedad o, por el contrario, existen muchos niños que sufren realidades iguales o similares a las que aparecen?
4. ¿En qué medida consideras que el Sistema Educativo y, por tanto, la Escuela, está preparada para atender y tratar a niños que sufren las situaciones de desprotección que aparecen en la película?
5. ¿Cómo crees que actuarías tú si como maestro, te enterases de que un alumno tuyo sufre una situación familiar como la de "El bola"?.
6. Propón algunas medidas para luchar desde la escuela contra este tipo de situaciones.

## 3.1.7.6 BIBLIOGRAFIA

Martínez, A. (2005). *Penalty* [Video-cortometraje].
Orden 1/2010, de 3 de mayo, de la Consellería de Educación y de la Consellería de Bienestar Social (DOGV N.º 6276), por la que se implanta la hoja de notificación de la posible situación de desprotección del menor detectada desde el ámbito educativo en la Comunidad Valenciana y se establece la coordinación interadministrativa para la protección integral de la infancia.

# NOTAS

## **NOTAS**

# NOTAS

---

NOTAS

### 3.1.8 PRÁCTICA 8: LA IMPORTANCIA DE LOS AFECTOS EN LA INFANCIA

#### 3.1.8.1 INTRODUCCIÓN

Uno de los aspectos más relevantes al tratar con el alumnado de segundo ciclo de Educación Infantil es el afecto. Englobando dentro de este término a otros, tales como el cariño, la protección, la violencia o el maltrato. Por tanto, se hace necesaria, dentro de esta asignatura, una práctica que haga alusión a la importancia de los afectos en la infancia.

Podemos contar con la entrevista grabada que se le hace a una especialista en el tema, Pepa Horno, psicóloga y consultora independiente en infancia, afectividad y protección desde 2004 a 2009 a tiempo parcial y desde diciembre de 2009 hasta la actualidad a tiempo completo como miembro del grupo Espirales Consultoría de Infancia. Las palabras de Pepa Horno, junto a las cuestiones planteadas en clase, ayudarán a que nuestro alumnado reflexione sobre aspectos básicos de los afectos en la infancia.

#### 3.1.8.2 OBJETIVOS

1. Conocer aspectos básicos sobre la violencia: concepto de desprotección, de persona violenta y de maltrato.
2. Sensibilizar ante la posibilidad de tener en las aulas actuales a víctimas de la violencia y el maltrato infantil.
3. Conocer la importancia del maltrato y su influencia en el desarrollo evolutivo del niño en infantil.
4. Reflexionar sobre las implicaciones y consecuencias que conlleva el maltrato infantil.
5. Ampliar el tema a partir de la búsqueda bibliográfica y de organizaciones que traten el tema del maltrato y la violencia en la infancia.

#### 3.1.8.3 PROCEDIMIENTO

**1.ª PARTE: Trabajo tutorizado**

1. Se realizará el visionado de una entrevista a la psicóloga Pepa Horno (en http://vimeo. com/10069295), en la cual se tratan diferentes aspectos de la violencia y el maltrato infantil.
2. Se dejará un tiempo para reflexionar individualmente sobre las cuestiones planteadas en el anexo de la práctica. Posteriormente, se debatirán estas preguntas en gran grupo. Los alumnos deberán de ir tomando nota de todas las intervenciones y aportaciones realizadas en clase.

**2.ª PARTE: Trabajo autónomo**

1. Redacción a ordenador de las cuestiones planteadas en clase, tanto a nivel individual como grupal.
2. Se elaborará por ordenador el INFORME DE LA PRÁCTICA según el siguiente esquema:
   o Introducción.
   o Cuestionario individual, junto a las aportaciones realizadas en grupo.
   o Ampliación del tema: "El maltrato infantil: definición, tipos, causas, consecuencias, etc."
     - Busca y comenta brevemente tres libros que traten el tema del maltrato infantil.
     - Busca tres ONG o asociaciones que se dediquen a ayudar a víctimas de los malos tratos y cuenta qué es lo que hacen exactamente.
   o Valoración personal de la práctica.
   o Bibliografía.

### 3.1.8.4 NORMAS DE TRABAJO

1) Se debe utilizar un Lenguaje para la Igualdad en la Comunicación (LIC).
2) La autoría de las fuentes consultadas se deberán citar en el apartado de bibliografía.
3) Se deberá evitar la intertextualidad.
4) El trabajo escrito tendrá la extensión que cada alumno estime oportuno para su realización (Letra ARIAL, tamaño 12; justificado —alinear el texto en los márgenes derecho e izquierdo—; 1,5 interlineado de párrafo; y 2,5 para márgenes).
5) El trabajo incluirá:
   a. Portada.
      - Número y nombre de la práctica
      - Grupo de prácticas al que pertenecen
      - Grado.
      - Curso académico/cuatrimestre
   b. INFORME DE LA PRÁCTICA.

### 3.1.8.5 ACTIVIDAD ALTERNATIVA

El alumno elaborará por ordenador el INFORME DE LA PRÁCTICA según el siguiente esquema:

1) Introducción.
2) Cuestionario individual.
3) Ampliación del tema: "El maltrato infantil: definición, tipos, causas, consecuencias…" a través de la búsqueda y comentario breve de tres libros que traten el tema del maltrato infantil y búsqueda de tres ONG o asociaciones que se dediquen a ayudar a víctimas de los malos tratos y cuenta qué es lo que hacen exactamente.
4) Lectura, resumen, análisis y comentario de uno de los siguientes artículos:

   Horno, P. (2008). Salvaguardar los derechos desde la escuela: educación afectivo-sexual para la prevención primaria del maltrato infantil. *Revista de Educación 347*, 127-140. Disponible en: http://www.revistaeducacion.mec.es/re347/re347_06.pdf.

   Horno, P. (2006). Atención a los niños y las niñas víctimas de la violencia de género. *Intervención Psicosocial, 15,* 307-316. Disponible en: http://scielo.isciii.es/pdf/inter/v15n3/v15n3a05.pdf.

5) Valoración general de la práctica.
6) Bibliografía.

### CUESTIONARIO

Responde a las siguientes preguntas tras el visionado del vídeo:

1. ¿Qué es una situación de desprotección?
2. ¿Qué es la violencia? ¿Qué condiciones tiene que tener una persona para ser violenta con otra?
3. ¿Qué es la familia? ¿Qué elementos definen a la familia? Reflexiona y describe qué entiendes tú, personalmente, por "familia".
4. ¿Qué relación existe entre el amor, el poder y la violencia?
5. ¿Por qué es tan difícil asumir que alguien a quien queremos está siendo violento con nosotros?
6. ¿Crees que los padres que son muy protectores con sus hijos están maltratándolos? Justifica tu respuesta.
7. ¿Qué tres elementos dice Pepa Horno que tienen que incorporar los padres para educar a su hijos? A estos tres elementos, ¿incorporarías tú alguno más?

8. ¿Consideras que un niño con escasos recursos económicos debe ir a un centro de acogida? ¿Por qué?

9. ¿Consideras que es más complicado detectar las víctimas de violencia en edad adulta o en edad infantil? Justifica tu respuesta.

## 3.1.8.6 BIBLIOGRAFÍA

Horno, P. (1998). *Entrevista a Pepa Horno* [Video]. Disponible en: http://vimeo.com/10069295.

Horno, P. (2008). Salvaguardar los derechos desde la escuela: educación afectivo-sexual para la prevención primaria del maltrato infantil. *Revista de Educación, 347*, 127-140. Disponible en: http://www.revistaeducacion.mec.es/re347/re347_06.pdf.

Horno, P. (2006). Atención a los niños y las niñas víctimas de la violencia de género. *Intervención Psicosocial 15*, 307-316. Disponible en: http://scielo.isciii.es/pdf/inter/v15n3/v15n3a05.pdf.

# NOTAS

# **NOTAS**

# **NOTAS**

### 3.1.9 PRÁCTICA 9: LAS TECNOLOGÍAS DE LA INFORMACIÓN Y LA COMUNICACIÓN (TIC) EN EL ENTORNO ESCOLAR

#### 3.1.9.1 INTRODUCCIÓN

Las consecuencias educativas del desarrollo de las Tecnologías de la Información y la Comunicación (TIC) y de su utilización en los centros escolares es objeto de un intenso debate por su influencia en el desarrollo infantil. En la etapa de 3 a 6 años, los aspectos emocionales y de relación con los iguales son fundamentales para la evolución de los niños y las niñas; por este motivo el uso de las TIC debe de hacernos reflexionar sobre las interacciones sociales que se generan o se soslayan, además de analizar la capacidad de utilización de ellas, de forma creativa y responsable.

En el entorno escolar, las TIC pueden ser utilizadas simplemente para transmitir información ya totalmente elaborada y fomentar una respuesta pasiva o repetitiva por parte del alumnado o, por el contrario, la utilización de las TIC puede convertirse en un instrumento significativo en el proceso de aprendizaje infantil.

La presencia e impacto de las TIC es una realidad en la vida social y, por ese motivo, también lo encontramos en el ámbito educativo. Un análisis riguroso de su uso será fundamental para fomentar un adecuado desarrollo social y cognitivo en los niños y las niñas.

#### 3.1.9.2 OBJETIVOS

1) Reflexionar sobre el papel de las Tecnologías de Información y Comunicación (TIC) en entornos educativos.
2) Conocer el uso de las TIC y su importancia en el desarrollo del niño en infantil.
3) Analizar los beneficios del uso de los videojuegos y ordenadores en los niños.
4) Adoptar una actitud crítica en el uso y el mal uso de las nuevas tecnologías en las escuelas.

#### 3.1.9.3 PROCEDIMIENTO

**1.ª PARTE: Trabajo tutorizado**

1. Respuesta por parte de los alumnos de la encuesta sobre actitudes sobre el uso de las TIC.
2. Se visualizará el corto *Tecnología y metodología* y se comentarán los aspectos más significativos del uso y relevancia de las TIC en la escuela.
3. Se analizará el visionado del vídeo de Redes "No me molestes, mamá, estoy aprendiendo" (http://www.rtve.es/television/20101205/no-molestes-mama-estoy-aprendiendo/381903.shtml), en el que se analiza la entrevista con Marc Prensky, especialista e innovador de los sistemas educativos a través de las tecnologías de la información y la comunicación.
4. Se dejará un tiempo para reflexionar y contestar individualmente las cuestiones planteadas en el anexo de la práctica.
5. Se pondrán en común las respuestas y reflexiones en parejas, señalando los aspectos convergentes y divergentes de las mismas.
6. Finalmente, se debatirán todas las preguntas en gran grupo. Los alumnos deberán de ir tomando nota de todas las intervenciones y aportaciones realizadas en clase.

**2.ª PARTE: Trabajo autónomo**

1. Se administrará a un grupo de 5 maestros de niños de infantil y primaria la encuesta "Actitudes sobre el uso de videojuegos y las TIC en la infancia" (Anexo 8.3.a) procurando que sean de

los niveles de infantil de 3, 4 y 5 años y 1.º y 2.º de primaria. Si no es posible esta propuesta podrán repetirse los niveles (Ejemplo: 2 maestros de infantil de 4 años, etc.).

2. Redacción a ordenador de las cuestiones planteadas en clase, tanto a nivel individual, en parejas, como grupal.

3. Se elaborará por ordenador el INFORME DE LA PRÁCTICA según el siguiente esquema:

   a. Introducción: objetivos y estructura de la práctica, señalar la asistencia o no a la misma.
   b. Cuestionario del anexo.
   c. Aportaciones extraídas del análisis en parejas.
   d. Aportaciones realizadas en gran grupo.
   e. Análisis de las encuestas realizadas a los maestros.
   f. Valoración personal de la práctica.
   g. Bibliografía.

### 3.1.9.4 NORMAS DE TRABAJO

- Se debe utilizar un Lenguaje para la Igualdad en la Comunicación (LIC).
- La autoría de las fuentes consultadas se deberán citar a pie de página y/o en la bibliografía.
- Se deberá evitar la intertextualidad.
- El trabajo escrito tendrá la extensión que cada alumno estime oportuno para su realización (Letra ARIAL, tamaño12; justificado (alinear el texto en los márgenes derecho e izquierdo); 1,5 interlineado de párrafo; y 2,5 para márgenes).
- Incluirá:
  o Portada
    ▪ Número y nombre de la práctica
    ▪ Grupo de prácticas al que pertenecen
    ▪ Grado
    ▪ Curso académico/cuatrimestre (2010-2011)
  o INFORME DE LA PRÁCTICA

### 3.1.9.5 ACTIVIDAD ALTERNATIVA

Los alumnos realizarán el INFORME DE LA PRÁCTICA:
a. Introducción.
b. Cuestionario del anexo.
c. Aportaciones extraídas del análisis en parejas.
d. Aportaciones realizadas en gran grupo.
e. Análisis de las encuestas realizadas a los maestros.
f. Valoración personal de la práctica.
g. Bibliografía.

Además tendrán que leer, resumir y comentar los siguientes trabajos:
- Romano, V. (2001). Pros y contras de la e-educación. *Revista de Educación, número extraordinario*, 211-216.
- De Miguel, C. (2004). Educamadrid. El ordenador en las aulas de Educación Infantil Experiencia de la Escuela Infantil Zaleo. En C. De Miguel (coord.), *Las Tecnologías de la Información y la Comunicación en Educación Infantil y Primer Ciclo de Educación Primaria*, pp. 97-108. Extraído el 29 de marzo de 2011, desde http://www.educacionenvalores.org/IMG/pdf/1474.pdf.

## CUESTIONARIO

Responde a las siguientes cuestiones tras el visionado del vídeo:

1. Según Marc Prensky, ¿qué capacidades y competencias se potencian a través de los videojuegos?
2. ¿Qué ventajas tienen las Tecnologías de la Información y Comunicación (TIC) para la enseñanza en las escuelas?
3. ¿Qué competencias pueden ser potenciadas a través de las TIC en el aula?
4. ¿Consideras que los niños deben ser formados desde la escuela en los riesgos del uso de las nuevas tecnologías? Justifica tu respuesta.
5. Según tu criterio ¿qué temas se deberían enseñar a los escolares sobre los riesgos del uso de las TIC? Indica tres ejemplos.
6. ¿Qué opinas respecto a la frase "el profesor del siglo XXI ha de preparar a sus estudiantes para un futuro incierto"? ¿Qué papel consideras que tienen las TIC para alcanzar este objetivo?
7. Resume los beneficios que tienen las TIC para el desarrollo del niño.
8. La "brecha digital" es la desigualdad de acceso y uso de las tecnologías existente entre personas con diferente nivel socioeconómico. ¿Qué papel consideras que tiene el aprendizaje y uso de las TIC en los centros escolares para la disminución de este fenómeno? Justifica tu respuesta.

### 3.1.9.6 BIBLIOGRAFÍA

Romano, V. (2001). Pros y contras de la e-educación. *Revista de Educación, número extraordinario*, 211-216.

De Miguel, C. (2004). Educamadrid. El ordenador en las aulas de Educación Infantil. Experiencia de la Escuela Infantil Zaleo. En C. De Miguel (coord.), *Las Tecnologías de la Información y la Comunicación en Educación Infantil y Primer Ciclo de Educación Primaria* (pp. 97- 108). Extraído el 29 de marzo de 2011 desde http://www.educacionenvalores.org/IMG/pdf/1474.pdf

Redes, RTVE (2010). *No me molestes, mamá, estoy aprendiendo* [Video]. Disponible en: http://www.rtve.es/television/20101205/no-molestes-mama-estoy-aprendiendo/381903.shtml

# **<u>NOTAS</u>**

<u>NOTAS</u>

# **NOTAS**

# **<u>NOTAS</u>**

### 3.1.10 PRÁCTICA 10: ACTITUDES HACIA EL USO DE LAS TIC EN EL ENTORNO FAMILIAR

#### 3.1.10.1 INTRODUCCIÓN

Cuando hablamos de las TIC estamos haciendo referencia a un concepto relativamente moderno acerca de las Tecnologías de la Información y la Comunicación, como por ejemplo el uso del ordenador, internet, la cámara digital, móviles de tercera generación, el uso de la pizarra digital y un largo etcétera.

En las últimas décadas se ha producido un fortísimo incremento del uso de las TIC en casi todo el mundo. España no se ha quedado al margen y, a través de diferentes estudios publicados, se constata que las nuevas tecnologías ya forman parte de la vida cotidiana de las familias españolas.

Al ser la familia el primer agente de socialización del niño, factores como la actitud de la familia hacia el uso de las TIC, los recursos socioeconómicos de la misma, tendrán influencia en el desarrollo evolutivo del niño.

A lo largo de esta práctica, el alumnado reflexionará sobre las ventajas y desventajas del uso de las TIC en niños y adolescentes a través del capítulo de Carl Honoré (2009) así como llevarán a cabo un análisis acerca de los hábitos de los niños de Educación Infantil sobre el uso de las TIC y de la actitud de los padres y madres hacia las mismas. Para llevar a cabo este análisis aplicarán unas encuestas a las familias diseñadas para tal fin.

#### 3.1.10.2 OBJETIVOS

1) Analizar las ventajas e inconvenientes del uso de los videojuegos y ordenadores en los niños.
2) Conocer la actitud que mantienen los padres y madres sobre el uso de las TIC en el hogar y en el entorno escolar.
3) Analizar las pautas educativas familiares relacionadas con el uso de las TIC que pueden condicionar el desarrollo evolutivo de los niños y su rendimiento académico.
4) Adoptar una actitud crítica en el uso y el abuso de las nuevas tecnologías y la necesidad de la adoptar normas y límites desde la familia.

#### 3.1.10.3 PROCEDIMIENTO

**1.ª PARTE: Trabajo autónomo**

1. Lectura del capítulo 5:
   Honoré, C. (2009). Tecnología: bytes de realidad. En Honoré, *Bajo presión. Como educar a nuestros hijos en un mundo hiperexigente* (pp 103-125). Barcelona: RBA
2. Se administrará a un grupo de 5 padres o madres de niños de infantil o primer ciclo de primaria (1.º o 2.º) la encuesta "Uso de las Tecnologías de la Información y Comunicación en la infancia" para padres (Anexo 8.3.b.).

**2.ª PARTE: Trabajo tutorizado**

1. Se responderán individualmente a las preguntas planteadas en el anexo sobre el artículo.
2. Se pondrán en común las respuestas y reflexiones en parejas, señalando los aspectos convergentes y divergentes de las respuestas.
3. Posteriormente, se debatirán todas las preguntas en gran grupo. Los alumnos deberán de ir tomando nota de todas las intervenciones y aportaciones realizadas en clase.

4. Finalmente, cada alumno analizará cualitativamente (descripción) las respuestas de las encuestas de los padres y madres teniendo en cuenta los datos sociodemográficos: sexo, edad, profesión...

**3.ª PARTE: Trabajo autónomo**

1. Redacción a ordenador de las cuestiones planteadas en clase, tanto a nivel individual y parejas, como grupal.
2. Se elaborará por ordenador el INFORME DE LA PRÁCTICA según el siguiente esquema:
   a. Introducción
   b. Cuestionario.
   c. Aportaciones extraídas del análisis en parejas.
   d. Aportaciones realizadas en gran grupo.
   e. Análisis de las encuestas realizadas a padres y madres.
   f. Valoración personal de la práctica.

### 3.1.10.4 NORMAS DE TRABAJO

- Se debe utilizar un Lenguaje para la Igualdad en la Comunicación (LIC).
- La autoría de las fuentes consultadas se deberán citar a pie de página y/o en la bibliografía.
- Se deberá evitar la intertextualidad.
- El trabajo escrito tendrá la extensión que cada alumno estime oportuno para su realización (Letra ARIAL, tamaño12; justificado —alinear el texto en los márgenes derecho e izquierdo—; 1,5 interlineado de párrafo; y 2,5 para márgenes).
- El trabajo incluirá:
  o Portada
    ▪ Número y nombre de la práctica
    ▪ Grupo de prácticas al que pertenecen
    ▪ Grado
    ▪ Curso académico/cuatrimestre (2010-2011)
  o INFORME DE LA PRÁCTICA

### 3.1.10.5 ACTIVIDAD ALTERNATIVA

El alumno elaborará por ordenador el INFORME DE LA PRÁCTICA según el siguiente esquema:
1) Introducción.
2) Cuestionario.
3) Análisis de las encuestas realizadas a padres y madres.
4) Valoración personal de la práctica.
5) Bibliografía.

Además tendrán que realizar una búsqueda (al menos 4 trabajos) sobre las actitudes parentales y el uso de las TIC en el entorno familiar y realizar el resumen y análisis del capítulo de libro: Small, G. y Vorgan, G. (2008), Nuestro cerebro está evolucionando. En G. Small y G. Vorgan, *El cerebro digital: cómo las nuevas tecnologías están cambiando nuestra mente* (pp. 15-38). Barcelona: Agencia literaria.

### CUESTIONARIO

Responde a las siguientes cuestiones tras la lectura del artículo de Carl Honoré:

1. Resume las ventajas e inconvenientes de las TIC que han sido hallados en estudios con niños y jóvenes. ¿Cómo justificas los resultados contradictorios que han obtenido algunos de ellos?

2. La percepción de los maestros es que los alumnos son menos competentes lingüística y socialmente que antes. ¿Qué opinas respecto a esta afirmación? ¿Crees que el aumento de los casos de *ciberbullying* es consecuencia del uso desmesurado de las TIC o depende de otros factores? Justifica tu respuesta.

3. ¿Qué papel opinas que tiene el control parental y los límites familiares en el uso adecuado de las TIC? Indica dos ejemplos.

4. Conclusiones que has extraído sobre los factores que determinan que las TIC sean beneficiosas o perjudiciales para niños y niñas.

5. Señala las implicaciones que tienen las TIC para la educación: beneficios y los límites de las TIC como herramienta pedagógica, normas y límites del uso en los centros educativos y en las aulas…

### 3.1.10.6 BIBLIOGRAFIA

Small, G. y Vorgan, G. (2008). Nuestro cerebro está evolucionando. En G. Small y G. Vorgan, *El cerebro digital: cómo las nuevas tecnologías están cambiando nuestra mente* (pp. 15-38). Barcelona: Agencia literaria.

Honoré, C. (2009). Tecnología: bytes de realidad. En Honoré, Bajo presión. Como educar a nuestros hijos en un mundo hiperexigente (pp 103-125). Barcelona: RBA.

# **NOTAS**

# **<u>NOTAS</u>**

_____

_____

_____

_____

_____

_____

_____

_____

_____

_____

_____

_____

_____

_____

_____

_____

_____

_____

_____

_____

_____

_____

_____

_____

_____

_____

_____

_____

_____

_____

_____

_____

_____

_____

_____

_____

# **<u>NOTAS</u>**

_____

_____

# **NOTAS**

### 3.1.11 PRÁCTICA 11. ESTIMULACIÓN LENGUAJE ORAL EN EDUCACIÓN INFANTIL

#### 3.1.11.1 INTRODUCCIÓN

El desarrollo del lenguaje oral es uno de los hitos más importantes en el proceso evolutivo de cualquier niño y si hay una etapa en la que se debe trabajar y potenciar esta capacidad es, sin duda, en Educación Infantil.

Una de las estrategias más útiles para el maestro consiste en conocer y comprender el desarrollo normativo del lenguaje oral. De esta manera, el maestro podrá observar la evolución del lenguaje en sus alumnos y podrá detectar precozmente síntomas de alarma del mismo.

A lo largo de esta práctica el alumnado analizará las diferentes etapas evolutivas en el desarrollo del lenguaje oral entre los 3 y los 6 años. Por otro lado, se familiarizará con un la estructura de un programa de estimulación del lenguaje oral —componentes, objetivos y actividades tipo— y, por último, aplicará algunas de las actividades del programa a niños del segundo ciclo de Educación Infantil.

#### 3.1.11.2 OBJETIVOS

1) Analizar la importancia del desarrollo oral en Educación Infantil.
2) Conocer los diferentes componentes de un programa de estimulación del lenguaje oral (discriminación auditiva-fonética, relajación-respiración-soplo, fonética…).
3) Aplicar un programa de estimulación del lenguaje oral a niños con edades comprendidas entre los 3 y los 6 años.
4) Evaluar los resultados de la aplicación de un programa de estimulación del lenguaje oral en Educación Infantil.

#### 3.1.11.3 PROCEDIMIENTO:

**1.ª PARTE: Trabajo autónomo**

- Lectura individual del artículo:
  Serrano, M. (2006). Estimulación del lenguaje oral en educación infantil. *Revista Digital Investigación y Educación,* 22.
  http://www.csi-csif.es/andalucia/modules/mod_sevilla/archivos/revistaense/n22/nivel_educacion_infantil_titulo_la_estimulacion_del_lenguaje_oral_en_educacion_infantil_autora_mila_serrano_gonzalez.pdf

**2.ª PARTE: Trabajo tutorizado**

1. Comentario crítico por parejas del artículo.
2. Análisis y reflexión en gran grupo sobre las siguientes cuestiones:
   a) Componentes del programa de estimulación del lenguaje oral.
   b) Actividades planteadas en el programa y su adecuación a niños de 3 a 6 años.

**3.ª PARTE: Trabajo autónomo**

1. Los alumnos aplicarán 8 actividades de estimulación del lenguaje oral a tres niños con edades comprendidas entre los 3 y los 6 años.
   Se aplicará una actividad por cada componente del programa.
2. Se elaborará por ordenador el INFORME DE LA PRÁCTICA según el siguiente esquema:

1. Introducción.
2. Diseño del programa de estimulación de lenguaje oral:
   a) Componentes del programa.
   b) Objetivos de cada componente.
   c) Actividades realizadas.
3. Datos de cada uno de los tres niños a quién se le ha aplicado dicho programa (Anexo 8.6.a).
4. Resultados de cada una de las actividades y valoración general de la aplicación del programa (Anexo 8.6.b).
5. Resume (máximo 2 hojas) las características del lenguaje de cada uno de los niños evaluados.
6. Valoración personal de la práctica.

### 3.1.11.4 NORMAS DE TRABAJO

- Se debe utilizar un Lenguaje para la Igualdad en la Comunicación (LIC).
- La autoría de las fuentes consultadas se deberán citar a pie de página y/o en la bibliografía.
- Se deberá evitar la intertextualidad.
- El trabajo escrito tendrá la extensión que cada alumno estime oportuno para su realización (Letra ARIAL, tamaño12; justificado —alinear el texto en los márgenes derecho e izquierdo—; 1,5 interlineado de párrafo; y 2,5 para márgenes).
- Incluirá:
  o Portada
    ▪ Número y nombre de la práctica
    ▪ Grupo de prácticas al que pertenecen
    ▪ Grado
    ▪ Curso académico/cuatrimestre
  o INFORME DE LA PRÁCTICA

### 3.1.11.5 ACTIVIDAD ALTERNATIVA

El alumno elaborará por ordenador el INFORME DE LA PRÁCTICA según el siguiente esquema:
1) Introducción.
2) Análisis y reflexión del artículo reseñado.
3) Diseño del programa de estimulación de lenguaje oral:
   a) Componentes del programa.
   b) Objetivos de cada componente.
   c) Actividades realizadas.
   d) Datos de cada uno de los tres niños a quien se le ha aplicado dicho programa.
4) Resultados de cada una de las actividades y valoración general de la aplicación del programa por cada uno de los tres niños evaluados (Anexo 8.6.b.).
5) Resume (máximo 2 hojas) las características del lenguaje de cada uno de los niños evaluados.
6) Valoración personal de la práctica.
7) Bibliografía.

### 3.1.11.6 BIBLIOGRAFÍA

Arriaza, J.C. (2006). *Cuentos para hablar. Cuentos para la estimulación del lenguaje oral: praxias, ritmo, vocabulario, comprensión y expresión.* Madrid: CEPE.

Monfort, M. y Juárez, A. (2006). *El niño que habla. El lenguaje oral en el preescolar.* Madrid: CEPE.

Serrano, M. (2006). Estimulación del lenguaje oral en educación infantil. En *Revista Digital Investigación y Educación,* 22. Disponible en: http://www.csi-csif.es/andalucia/modules/mod_sevilla/archivos/revistaense/n22/nivel_educacion_infantil_titulo_la_estimulacion_del_lenguaje_oral_en_educacion_infantil_autora_mila_serrano_gonzalez.pdf

VV. AA. (2005). *Escucho te cuento: Tu método práctico de estimulación lingüística.* Granada: Grupo Editorial Universitario.

Arriaza, J. C. (2006). *Cuentos para estimular el habla.* Editorial: Aljibe.

# <u>NOTAS</u>

# **<u>NOTAS</u>**

# NOTAS

**NOTAS**

### 3.1.12 PRÁCTICA 12: EL CONOCIMIENTO DE LA REALIDAD: LA OBSERVACIÓN Y LA EXPERIMENTACIÓN EN EDUCACIÓN INFANTIL

#### 3.1.12.1 INTRODUCCIÓN

La actividad infantil es un requisito indispensable para el desarrollo y el aprendizaje. Los niños de estas edades aprenden haciendo sobre su entorno en un proceso que requiere observación, manipulación, experimentación, reflexión y esfuerzo mental.

Por tanto, el docente de infantil ha de planificar actividades para que las acciones que el niño repite de forma espontánea le lleven a descubrir efectos de esas acciones y a anticipar alguna de ellas. Del mismo modo, el contacto personal con personas de su entorno y sus iguales facilitará el conocimiento de los demás. Por su parte, la experimentación con objetos y materiales va a permitir básicamente la indagación y el conocimiento de los elementos de la realidad tanto desde una perspectiva física como lógico-matemática, ambas indisociables en esta edad.

Para favorecer que niños progresen en el conocimiento del mundo es necesario darles oportunidades para que realicen actividades de forma autónoma, tomen la iniciativa, planifiquen y secuencien poco a poco la propia acción, lo que exige la creación de un ambiente de seguridad física y afectiva, rico en estímulos, un ambiente favorable para la exploración, la cooperación y la toma de iniciativas estimulando y favoreciendo en todo momento su creatividad.

Por otro lado, no debería entenderse la actividad como la realización, por parte del/de la niño/a, de una consigna dada, ligada siempre a acciones externas y observables, sino como cualquier tipo de propuesta, juego o situación que le invite a elaborar representaciones de lo que pretende hacer, de lo que se podría hacer o de lo que se ha hecho, para ayudarle a ser capaz de obtener información, imitar, representar, comunicar y reflexionar sobre su propia actividad, recordar experiencias o predecir consecuencias. Así, los niños conocen el mundo que les rodea, estructuran su propio pensamiento, controlan y encauzan futuras experiencias y descubren sus emociones y sentimientos. En definitiva, se produce en ellos procesos de desarrollo y de aprendizaje. Es, de este modo, como el niño se va a propiando de la realidad y formando los primeros conceptos infantiles.

Pero además hemos de considerar el juego como un instrumento privilegiado de intervención educativa.

El juego es una conducta universal que niños manifiestan de forma espontánea. Afecta al desarrollo cognitivo, psicomotor, afectivo y social, ya que permite expresar sentimientos, comprender normas, desarrollar la atención, la memoria o la imitación de conductas sociales. A través de los juegos, los niños se aproximan al conocimiento del medio que les rodea, al pensamiento y a las emociones propias y de los demás. Por su carácter motivador, creativo y placentero, la actividad lúdica tiene una importancia clave en Educación Infantil.

Desde muy pronto, se les debería estimular con juegos motores, de imitación, de representación incipiente, juego simbólico, dramático y juegos de tradición cultural.

A lo largo de la siguiente práctica vamos a profundizar en los siguientes contenidos del conocimiento de la realidad:

- La observación y exploración del mundo físico, natural y social.
- La observación y la experimentación.
- Desarrollo de la creatividad.
- Evolución y desarrollo del juego.
- Evolución en la adquisición de los conceptos.
- Conceptos básicos que construir.

Para ello, vamos a partir de dos actividades que evalúan las inteligencias lógico-matemática y naturalista (Gardner, 1999, 2001; Gardner, Feldman, y Krechevsky, 2000c).

### 3.1.12.2 OBJETIVOS

1) Conocer los aspectos principales del conocimiento de la realidad, los procedimientos de observación y experimentación del mundo natural, físico y social, el desarrollo de la creatividad y el juego así como la génesis y formación de los principales conceptos en infantil.

2) Elaborar un informe teórico sobre los aspectos principales del conocimiento de la realidad infantil y los procedimientos de observación y experimentación, el desarrollo de la creatividad y el juego así como la génesis de conceptos.

3) Aplicar y diseñar actividades y/o experiencias relacionadas con la observación y exploración del mundo físico, natural y social y la formación de los principales conceptos infantiles.

4) Diseñar actividades y propuestas prácticas de juego para trabajar distintos aspectos del desarrollo del segundo ciclo de infantil.

5) Identificar los aspectos fundamentales del conocimiento de la realidad, de la observación y la experimentación que aparecen en actividades, juegos y/o experiencias prácticas llevadas a cabo con niños del segundo ciclo de infantil.

6) Analizar a través de la observación rigurosa distintas situaciones de enseñanza-aprendizaje que se den en las actividades, experimentos y juegos diseñados en la práctica.

7) Identificar los principales aspectos del desarrollo psicomotriz, cognitivo, afectivo y social que aparecen en las actividades, experiencias y/o juegos puestos en práctica.

8) Ampliar el conocimiento sobre los aspectos fundamentales del conocimiento de la realidad a partir de la búsqueda, el análisis y la reflexión de información encontrada en distintas fuentes documentales (web, libros, artículos, etc).

9) Documentar utilizando distintos soportes (cámara fotográfica, vídeo, cuaderno de campo, etc.) las distintas situaciones de enseñanza-aprendizaje que aparecen en las actividades, juegos y/o experiencias aplicadas.

### 3.1.12.3 PROCEDIMIENTO

**1.ª PARTE: Trabajo tutorizado**
**Detección de conocimientos previos y presentación de contenidos y actividades a trabajar.**

El trabajo sobre los contenidos propuestos se iniciará a partir de la discusión y el debate de los conocimientos previos de los alumnos sobre el desarrollo del conocimiento de la realidad y la evolución y el desarrollo del juego infantil.

El profesor realizará una primera aproximación a los contenidos teóricos a partir de la exposición de los principales conceptos que trabajar (Anexo 8.1.d) y la presentación de dos actividades (Anexo 8.7.a y 8.7.b) para su aplicación en alumnos de infantil.

Los alumnos formarán grupos de trabajo para elaborar los temas y aplicar dos actividades, una de ellas, juegos y experiencias propuestas (Anexo I) y otra de libre elección y diseño.

Los grupos serán de libre constitución y el número de participantes será a criterio del profesor.

A cada grupo se le asignará el nombre de alguna estudiosa, investigadora o científica del campo psicopedagógico, según la dinámica de grupo "Contribuciones de la mujer al desarrollo de la psicología" (Apartado 4).

**2.ª PARTE: Trabajo tutorizado y seguimiento**

En la segunda sesión los alumnos trabajarán de manera autónoma en grupo tanto los aspectos teóricos como la elaboración, diseño y propuesta de actividades y juegos prácticos.

En esta sesión el profesor orientará, guiará y resolverá las dudas que vayan surgiendo.

### 3.ª PARTE: Trabajo autónomo de aplicación práctica

En tercer lugar, los alumnos elaborarán el INFORME DE LA PRÁCTICA según el esquema propuesto y aplicarán las dos actividades y/o juegos (uno propuesto y otro de diseño propio) a alumnos, preferentemente de tercer nivel del segundo ciclo de infantil.

En la aplicación de las actividades y/o juegos utilizarán el protocolo de observación de estilos de trabajo y la ficha de observación de variables del contexto.

### 4.ª PARTE: Trabajo tutorizado de exposición teórico-práctica

Durante varias sesiones (según las características del grupo clase) los grupos expondrán el trabajo elaborado a los compañeros.

El orden en las exposiciones de los grupos será asignado por el profesor y comunicado con antelación al coordinador del grupo.

En cada sesión los grupos serán evaluados tanto por el profesor como por los compañeros, siendo la evaluación de los compañeros orientativa respecto a la evaluación final.

Cada grupo elaborará por ordenador el INFORME DE LA PRÁCTICA según el siguiente esquema:
1. Introducción.
2. Breve reseña del investigador, científico asignado como nombre del grupo.
3. Desarrollo teoría.
4. Aplicación práctica de actividades y experiencias.
5. Referencias bibliográficas.
6. Valoración general de la práctica.

### 3.1.12.4 NORMAS DE TRABAJO

- Se debe utilizar un Lenguaje para la Igualdad en la Comunicación (LIC).
- La autoría de las fuentes consultadas se deberán citar a pie de página y/o en la bibliografía.
- Se deberá evitar la intertextualidad.
- El trabajo escrito tendrá la extensión que cada alumno estime oportuno para su realización (Letra ARIAL, tamaño12; justificado —alinear el texto en los márgenes derecho e izquierdo—; 1,5 interlineado de párrafo; y 2,5 para márgenes).
- Incluirá:
  o Portada
    ▪ Número y nombre de la práctica
    ▪ Grupo de prácticas al que pertenecen
    ▪ Grado
    ▪ Curso académico/cuatrimestre (2010-2011)
  o INFORME DE LA PRÁCTICA

### 3.1.12.5 BIBLIOGRAFÍA

Gardner, H., Feldman, D., y Krechevsky, M. (2000a). El proyecto Spectrum. Tomo I. *Construir sobre las capacidades infantiles*. Madrid: MEC/Morata.

Gardner, H., Feldman, D., y Krechevsky, M. (2000b). El proyecto Spectrum. Tomo II. *Actividades de aprendizaje en Educación Infantil*. Madrid: MEC/Morata.

Gardner, H., Feldman, D., y Krechevsky, M. (2000c). El proyecto Spectrum. Tomo III. *Manual de evaluación para Educación Infantil*. Madrid: MEC/Morata.

Gomis, N. (2007). *La evaluación de las inteligencias múltiples en el contexto educativo a través de expertos, maestros y padres*. Universidad de Alicante.

Gardner, H. (1999). *La teoría en la práctica*. Barcelona: Paidós

Gardner, H. (2001). *La inteligencia reformulada: las inteligencias múltiples en el siglo XXI*. Barcelona. Paidós.

Prieto, M. D. y Ballester, P. (2003). *Las inteligencias múltiple: diferentes formas de enseñar y aprender*. Madrid: Ediciones Pir.

# NOTAS

## **<u>NOTAS</u>**

## 3.2 ESTUDIO DE CASOS PRÁCTICOS

### 3.2.1 CASO 1. DANIEL

#### 3.2.1.1 OBJETIVOS

a) Detectar aspectos o variables personales y/o contextuales que afectan al desarrollo integral del niño.
b) Conocer el impacto que determinadas situaciones personales o ambientales producen en los distintos ámbitos del desarrollo.
c) Analizar las relaciones que existen entre los distintos agentes y cómo afectan al desarrollo del niño.
d) Debatir propuestas y actuaciones para minimizar o potenciar el impacto de determinados agentes en el desarrollo del niño.

#### 3.2.1.2 CASO

Daniel es un niño de 5 años, hermano menor de dos hermanos. Su rendimiento en el aula es satisfactorio, aunque últimamente se encuentra más ausente y triste en las relaciones que establece entre sus iguales y sus maestros. Por ello se muestra incapaz de mantener durante un largo periodo de tiempo la atención en clase. Al hablar con su madre, esta nos informa, muy afectada y desconsolada, del divorcio inmediato que está teniendo lugar entre ella y su marido.

#### 3.2.1.3 ESTUDIO DEL CASO

Ante esta situación:
1. Primera aproximación al estudio del caso.
2. Cuestionario de análisis e interpretación profesional del caso.
   a. ¿Qué aspectos o variables personales y/o contextuales tendrás en cuenta para llevar a cabo una primera valoración y/o actuación sobre el caso?
   b. ¿En qué aspectos del desarrollo evolutivo (físico, intelectual, afectivo, social y moral) del niño piensas que pueden influir esta vivencia y de qué manera?
   c. ¿En qué medida y de qué forma piensas que esta situación puede afectar a su trabajo escolar?
   d. ¿Qué orientaciones le darías a la madre de Daniel para tratar a su hijo en casa? (hablar o no con el niño sobre la separación de sus padres, normalizar o no la situación que están viviendo, etc.).

#### 3.2.1.4 INFORME DEL CASO

Al finalizar el estudio alumno elaborará un informe por ordenador según los apartados siguientes:
1) Primera aproximación al caso de estudio.
2) Análisis e interpretación profesional del caso (preguntas).
3) Conclusiones y valoración personal.
4) Bibliografía.

#### 3.2.1.5 NORMAS DE TRABAJO

- Se debe utilizar un Lenguaje para la Igualdad en la Comunicación (LIC).
- La autoría de las fuentes consultadas se deberán citar a pie de página y/o en la bibliografía.

- Se deberá evitar la intertextualidad.
- El trabajo escrito tendrá la extensión que cada alumno estime oportuno para su realización (Letra ARIAL, tamaño12; justificado —alinear el texto en los márgenes derecho e izquierdo—; 1,5 interlineado de párrafo; y 2,5 para márgenes).
- El trabajo incluirá:
  o Portada
    ▪ Número y nombre de la práctica
    ▪ Grupo de prácticas al que pertenecen
    ▪ Grado
    ▪ Curso académico/cuatrimestre
  o INFORME DEL CASO

# NOTAS

# NOTAS

### 3.2.2 CASO 2. PAULA

### 3.2.2.1 OBJETIVOS

a) Detectar aspectos o variables personales y/o contextuales que afectan al desarrollo integral del niño.
b) Conocer el impacto que determinadas situaciones personales o ambientales producen en los distintos ámbitos del desarrollo.
c) Analizar las relaciones que existen entre los distintos agentes y cómo afectan al desarrollo del niño.
d) Debatir propuestas y actuaciones para minimizar o potenciar el impacto de determinados agentes en el desarrollo del niño.

### 3.2.2.2 CASO

Paula es una niña de 4 años, hija única de una familia de nivel social bajo. Su trabajo en el aula es normal y su carácter alegre, divertido y risueño. Su madre está en paro y su padre trabaja en la agricultura, de forma esporádica. No muestra absentismo en la escuela, asistiendo la gran mayoría de días con ropa en mal estado (p. ej. remiendos, zapatos rotos). Hay días que Paula no trae almuerzo. Tras hablar con la madre, nos dice que no pueden hacer más de lo que están haciendo con la educación de su hija: la visten con ropa limpia, intentan darle toda la alimentación que les es posible y estar con ella todo el tiempo que su trabajo lo permite.

### 3.2.2.3 ESTUDIO DEL CASO

Ante esta situación:

1. Primera aproximación al estudio del caso.

2. Cuestionario de análisis e interpretación profesional del caso.

    a. ¿Qué aspectos o variables personales y/o contextuales tendrás en cuenta para llevar a cabo una primera valoración y/o actuación sobre el caso?
    b. ¿Crees que la situación familiar de Paula le puede estar afectando en algún aspecto de su desarrollo evolutivo (físico, intelectual, afectivo, social y moral)? ¿De qué manera?
    c. ¿Qué medidas adoptarías para mejorar o minimizar la situación social que está viviendo Paula?
    d. ¿Qué orientaciones le darías a la familia de Paula para favorecer su desarrollo en casa?

Al finalizar el estudio el alumno elaborará un INFORME DEL CASO por ordenador que según los apartados siguientes:

1. Primera aproximación al caso de estudio.
2. Análisis e interpretación profesional del caso (según preguntas).
3. Conclusiones y valoración personal.
4. Bibliografía.

### 3.2.2.4 NORMAS DE TRABAJO

- Se debe utilizar un Lenguaje para la Igualdad en la Comunicación (LIC).
- La autoría de las fuentes consultadas se deberán citar a pie de página y/o en la bibliografía.

- Se deberá evitar la intertextualidad.
- El trabajo escrito tendrá la extensión que cada alumno estime oportuno para su realización (Letra ARIAL, tamaño12; justificado —alinear el texto en los márgenes derecho e izquierdo—; 1,5 interlineado de párrafo; y 2,5 para márgenes).
- El informe incluirá:
  - o Portada
    - ▪ Número y nombre de la práctica
    - ▪ Grupo de prácticas al que pertenecen
    - ▪ Grado
    - ▪ Curso académico/cuatrimestre
  - o INFORME DEL CASO

# NOTAS

# NOTAS

### 3.2.3 CASO 3. ANTONIO

#### 3.2.3.1 OBJETIVOS

a) Detectar aspectos o variables personales y/o contextuales que afectan al desarrollo integral del niño.
b) Conocer el impacto que determinadas situaciones personales o ambientales producen en los distintos ámbitos del desarrollo.
c) Analizar las relaciones que existen entre los distintos agentes y cómo afectan al desarrollo del niño.
d) Debatir propuestas y actuaciones para minimizar o potenciar el impacto de determinados agentes en el desarrollo del niño.

#### 3.2.3.2 CASO

Antonio es un niño de 3 años que vive con su familia en una zona rural apartada del núcleo de población urbana. Es hijo único. La familia no tiene parientes que vivan cerca y Antonio tampoco ha tenido escolarización previa. Por tanto, durante sus tres años de vida se ha relacionado únicamente con su padre y con su madre. La madre es ama de casa y está todo el tiempo con él y su padre trabaja de manera estable en una fábrica de productos químicos. Aunque el nivel sociocultural familiar es bajo no tienen problemas económicos por lo que en casa disponen de todos los recursos tecnológicos (televisión, radio, PlayStation, etc.). En la entrevista inicial del curso la tutora conoce esta situación familiar. El periodo de adaptación transcurre de manera normal pero la tutora detecta que Antonio manifiesta un pobre desarrollo del lenguaje y de su desarrollo psicomotor.

#### 3.2.3.3 ESTUDIO DEL CASO

Ante esta situación:
1. Primera aproximación al estudio del caso.
2. Cuestionario de análisis e interpretación profesional del caso.
   a) ¿Qué aspectos o variables personales y/o contextuales tendrás en cuenta para llevar a cabo una primera valoración y/o actuación sobre el caso?
   b) ¿Crees que la situación familiar de Antonio le puede estar afectando en algún aspecto de su desarrollo evolutivo (físico, intelectual, afectivo, social y moral)? ¿De qué manera?
   c) ¿Qué medidas adoptarías para mejorar o minimizar la situación social que está viviendo Antonio?
   d) ¿Qué orientaciones le darías a la familia de Antonio para favorecer su desarrollo en casa?

#### 3.2.3.4 INFORME DEL CASO

Al finalizar el estudio el alumno elaborará un informe por ordenador según los apartados siguientes:
1. Primera aproximación al caso de estudio.
2. Análisis e interpretación profesional del caso (según preguntas).
3. Conclusiones y valoración personal.
4. Bibliografía.

#### 3.2.3.5 NORMAS DE TRABAJO

- Se debe utilizar un Lenguaje para la Igualdad en la Comunicación (LIC).

- La autoría de las fuentes consultadas se deberán citar a pie de página y/o en la bibliografía.
- Se deberá evitar la intertextualidad.
- El trabajo escrito tendrá la extensión que cada alumno estime oportuno para su realización (Letra ARIAL, tamaño12; justificado —alinear el texto en los márgenes derecho e izquierdo—; 1,5 interlineado de párrafo; y 2,5 para márgenes).
- El trabajo incluirá:
  o Portada
    - Número y nombre de la práctica
    - Grupo de prácticas al que pertenecen
    - Grado
    - Curso académico/cuatrimestre
  o Informe del caso

# NOTAS

## <u>NOTAS</u>

### 3.2.4 CASO 4. RAIMUNDO

### 3.2.4.1 OBJETIVOS

a) Detectar aspectos o variables personales y/o contextuales que afectan al desarrollo integral del niño.

b) Conocer el impacto que determinadas situaciones personales o ambientales producen en los distintos ámbitos del desarrollo.

c) Analizar las relaciones que existen entre los distintos agentes y cómo afectan al desarrollo del niño.

d) Debatir propuestas y actuaciones para minimizar o potenciar el impacto de determinados agentes en el desarrollo del niño.

### 3.2.4.2 CASO

Raimundo es un niño de 5 años, el menor de tres hermanos. Es un niño agresivo, mentiroso y siempre quiere destacar en todos los juegos. Tiene un lenguaje inapropiado para su edad (empleo de palabrotas, de expresiones inadecuadas, etc.). A veces viene con agresiones físicas (moratones en el culo, rasgaduras en los brazos, etc.). Al principio de curso pensamos que podrían ser caídas que sufría el propio niño jugando, sin embargo, a través de conversaciones que hemos oído al niño, sospechamos que su padre ejerce malos tratos en casa: con su mujer, los dos hermanos mayores y Raimundo.

### 3.2.4.3 ESTUDIO DEL CASO

Ante esta situación:
1. Primera aproximación al estudio del caso.
2. Cuestionario de análisis e interpretación profesional del caso.
   a. ¿Qué aspectos o variables personales y/o contextuales tendrás en cuenta para llevar a cabo una primera valoración y/o actuación sobre el caso?
   b. ¿Crees que la situación familiar de Raimundo le puede estar afectando en algún aspecto de su desarrollo evolutivo (físico, intelectual, afectivo, social y moral)? ¿De qué manera?
   c. ¿Qué medidas adoptarías para mejorar las conductas escolares que manifiesta Raimundo?
   d. ¿Qué serie de medidas y actuaciones llevarías a cabo como tutor de Raimundo para favorecer su desarrollo?

### 3.2.4.4 INFORME DEL CASO

Al finalizar el estudio el alumno elaborará un informe por ordenador según los apartados siguientes:
1. Primera aproximación al caso de estudio.
2. Análisis e interpretación profesional del caso (según preguntas).
3. Conclusiones y valoración personal.
4. Bibliografía.

### 3.2.4.5 NORMAS DE TRABAJO

- Se debe utilizar un Lenguaje para la Igualdad en la Comunicación (LIC).
- La autoría de las fuentes consultadas se deberán citar a pie de página y/o en la bibliografía.
- Se deberá evitar la intertextualidad.

- El trabajo escrito tendrá la extensión que cada alumno estime oportuno para su realización (Letra ARIAL, tamaño12; justificado —alinear el texto en los márgenes derecho e izquierdo—; 1,5 interlineado de párrafo; y 2,5 para márgenes).
- El trabajo incluirá:
  o Portada
    - Número y nombre de la práctica
    - Grupo de prácticas al que pertenecen
    - Grado
    - Curso académico/cuatrimestre
    - Informe del caso

# NOTAS

# <u>NOTAS</u>

### 3.2.5 CASO 5. MARTA

### 3.2.5.1 OBJETIVOS

a) Detectar aspectos o variables personales y/o contextuales que afectan al desarrollo integral del niño.
b) Conocer el impacto que determinadas situaciones personales o ambientales producen en los distintos ámbitos del desarrollo.
c) Analizar las relaciones que existen entre los distintos agentes y cómo afectan al desarrollo del niño.
d) Debatir propuestas y actuaciones para minimizar o potenciar el impacto de determinados agentes en el desarrollo del niño.

### 3.2.5.2 CASO

En la zona de juegos de un colegio público se encuentra una "casita" para jugar. En ella, en tiempo libre del periodo de comedor, se encuentran dos niños y dos niñas de 3 años jugando. Una de las niñas, Marta, cuando finaliza la jornada escolar le cuenta a su madre el juego al que han estado jugando en el tiempo de comedor. Su madre llega al centro llorando diciendo que su hija le ha contado que otro compañero de clase le ha pedido en la "casita" que se baje las braguitas para hacer el amor. La mamá se manifiesta muy nerviosa, ansiosa y preocupada y decide, como primera medida, sacar a la niña del comedor escolar argumentando falta de vigilancia. El nivel sociocultural de la familia es medio-alto.

### 3.2.5.3 ESTUDIO DEL CASO

Ante esta situación:
1. Primera aproximación al estudio del caso.
2. Cuestionario de análisis e interpretación profesional del caso.
   a. ¿Qué aspectos o variables personales y/o contextuales tendrás en cuenta para llevar a cabo una primera valoración y/o actuación sobre el caso?
   b. ¿Crees que la situación puede afectar en algún aspecto del desarrollo evolutivo (físico, intelectual, afectivo, social y moral) de Marta? ¿De qué manera?
   c. ¿Qué medidas adoptarías para evitar que se den conductas o sucesos de estas características?
   d. ¿Qué serie de medidas y actuaciones llevarías a cabo como tutor para favorecer el desarrollo de Marta?
   e. ¿Qué medidas o actuaciones consideras que debería tomar la escuela para hacer frente a este tipo de situaciones?

### 3.2.5.4 INFORME DEL CASO

Al finalizar el estudio el alumno elaborará un informe por ordenador que según los apartados siguientes:
1. Primera aproximación al caso de estudio.
2. Análisis e interpretación profesional del caso (según preguntas).
3. Conclusiones y valoración personal.
4. Bibliografía.

### 3.2.5.5 NORMAS DE TRABAJO

- Se debe utilizar un Lenguaje para la Igualdad en la Comunicación (LIC).

- La autoría de las fuentes consultadas se deberán citar a pie de página y/o en la bibliografía.
- Se deberá evitar la intertextualidad.
- El trabajo escrito tendrá la extensión que cada alumno estime oportuno para su realización (Letra ARIAL, tamaño12; justificado (alinear el texto en los márgenes derecho e izquierdo); 1,5 interlineado de párrafo; y 2,5 para márgenes).
- El trabajo incluirá:
  o Portada
    ▪ Número y nombre de la práctica
    ▪ Grupo de prácticas al que pertenecen
    ▪ Grado
    ▪ Curso académico/cuatrimestre
  o Informe del caso

### 3.2.6 CASO 6. INFORMACIÓN FAMILIAR INICIO DE ESCOLARIZACIÓN DEL 2.º CICLO

#### 3.2.6.1 OBJETIVOS

a) Detectar aspectos o variables personales y/o contextuales que afectan al desarrollo integral del niño.
b) Conocer el impacto que determinadas situaciones personales o ambientales producen en los distintos ámbitos del desarrollo.
c) Analizar las relaciones que existen entre los distintos agentes y cómo afectan al desarrollo del niño.
d) Debatir propuestas y actuaciones para minimizar o potenciar el impacto de determinados agentes en el desarrollo del niño.

#### 3.2.6.2 CASO

El centro en el que trabajas está situado en una zona obrera con edificios de nueva construcción. Las familias que llevan sus hijos al centro tienen un nivel sociocultural medio y una edad comprendida entre 25 y 35 años. Planifica la primera reunión de inicio de curso con padres y madres de alumnos, de niños de 3 años, nuevos en el centro.

#### 3.2.6.3 ESTUDIO DEL CASO

1. ¿Qué aspectos o variables personales y/o contextuales tendrás en cuenta para llevar a cabo una primera organización y programación de la reunión?
2. Destaca qué aspectos del desarrollo evolutivo (físico, intelectual, afectivo, social y moral) tratarías en esta reunión fundamentando tu respuesta.
3. Prepara una pequeña presentación destacando estos aspectos.

#### 3.2.6.4 INFORME DEL CASO

Al finalizar el estudio el alumno elaborará un informe por ordenador según los apartados siguientes:
1. Aspectos personales y/o contextuales para tener en cuenta.
2. Aspectos del desarrollo que tratar en la reunión inicial del curso escolar.
3. Presentación de la reunión.
4. Conclusiones y valoración personal.
5. Bibliografía.

#### 3.2.6.5 NORMAS DE TRABAJO

- Se debe utilizar un Lenguaje para la Igualdad en la Comunicación (LIC).
- La autoría de las fuentes consultadas se deberán citar a pie de página y/o en la bibliografía.
- Se deberá evitar la intertextualidad.
- El trabajo escrito tendrá la extensión que cada alumno estime oportuno para su realización (Letra ARIAL, tamaño 12; justificado —alinear el texto en los márgenes derecho e izquierdo—; 1,5 interlineado de párrafo; y 2,5 para márgenes).
- El trabajo incluirá:
  - o Portada
    - ▪ Número y nombre de la práctica

- Grupo de prácticas al que pertenece.
- Grado
- Curso académico/cuatrimestre
  - Informe del caso

# <u>NOTAS</u>

<u>NOTAS</u>

## <u>NOTAS</u>

### 3.2.7 CASO 7. INFORMACIÓN FAMILIAR AL INICIO DE CURSO ESCOLAR

#### 3.2.7.1 OBJETIVOS

1. Detectar aspectos o variables personales y/o contextuales que afectan al desarrollo integral del niño.
2. Conocer el impacto que determinadas situaciones personales o ambientales producen en los distintos ámbitos del desarrollo.
3. Analizar las relaciones que existen entre los distintos agentes y cómo afectan al desarrollo del niño.
4. Debatir propuestas y actuaciones para minimizar o potenciar el impacto de determinados agentes en el desarrollo del niño.

#### 3.2.7.2 CASO

El centro en el que trabajas está situado en una zona obrera con edificios de nueva construcción. Las familias que llevan sus hijos al centro tienen un nivel sociocultural medio y una edad comprendida entre 25 y 35 años.

Planifica la primera reunión de inicio de curso con padres y madres de alumnos, de niños de 4 años, teniendo en cuenta que tienes 4 alumnos que no han estado escolarizados en el centro con anterioridad.

#### 3.2.7.3 ESTUDIO DEL CASO

1. ¿Qué aspectos o variables personales y/o contextuales tendrás en cuenta para llevar a cabo una primera organización y programación de la reunión?
2. Destaca qué aspectos del desarrollo evolutivo (físico, intelectual, afectivo, social y moral) tratarías en esta reunión fundamentando tu respuesta.
3. Señala las posibles diferencias en cuanto al desarrollo evolutivo entre el alumnado escolarizado en el centro y el de nueva incorporación.
4. Prepara una pequeña presentación destacando estos aspectos.

#### 3.2.7.4 INFORME DEL CASO

Al finalizar el estudio el alumno elaborará un informe por ordenador según los apartados siguientes:
1. Aspectos personales y/o contextuales para tener en cuenta.
2. Aspectos del desarrollo para tratar en la reunión inicial del curso escolar.
3. Presentación de la reunión.
4. Conclusiones y valoración personal.
5. Bibliografía.

#### 3.2.7.5 NORMAS DE TRABAJO

- Se debe utilizar un Lenguaje para la Igualdad en la Comunicación (LIC).
- La autoría de las fuentes consultadas se deberán citar a pie de página y/o en la bibliografía.
- Se deberá evitar la intertextualidad.
- El trabajo escrito tendrá la extensión que cada alumno estime oportuno para su realización (Letra ARIAL, tamaño 12; justificado —alinear el texto en los márgenes derecho e izquierdo—; 1,5 interlineado de párrafo; y 2,5 para márgenes).
- El trabajo incluirá:

- Portada
  - Número y nombre de la práctica
  - Grupo de prácticas al que pertenecen
  - Grado
  - Curso académico/cuatrimestre
- Informe del caso

# NOTAS

# NOTAS

### 3.2.8 CASO 8. INFORMACIÓN FAMILIAR AL INICIO DE CURSO DEL 3.<sup>er</sup> NIVEL 2.º DEL CICLO

#### 3.2.8.1 OBJETIVOS

1. Detectar aspectos o variables personales y/o contextuales que afectan al desarrollo integral del niño.
2. Conocer el impacto que determinadas situaciones personales o ambientales producen en los distintos ámbitos del desarrollo.
3. Analizar las relaciones que existen entre los distintos agentes y cómo afectan al desarrollo del niño.
4. Debatir propuestas y actuaciones para minimizar o potenciar el impacto de determinados agentes en el desarrollo del niño.

#### 3.2.8.2 CASO

El centro en el que trabajas está situado en una zona obrera con edificios de nueva construcción. Las familias que llevan sus hijos al centro tienen un nivel sociocultural medio y una edad comprendida entre 25 y 35 años. Planifica la primera reunión de inicio de curso con padres y madres de alumnos, de niños de 5 años, teniendo en cuenta que tienes 4 alumnos que no han estado escolarizados en el centro con anterioridad y tú eres un maestro de nueva incorporación a la plantilla del centro.

#### 3.2.8.3 ESTUDIO DEL CASO

1. ¿Qué aspectos o variables personales y/o contextuales tendrás en cuenta para llevar a cabo una primera organización y programación de la reunión?
2. Destaca qué aspectos del desarrollo evolutivo (físico, intelectual, afectivo, social y moral) tratarías en esta reunión fundamentando tu respuesta.
3. Prepara una pequeña presentación destacando estos aspectos.

#### 3.2.8.4 INFORME DEL CASO

Al finalizar el estudio el alumno elaborará un informe por ordenador según los apartados siguientes:
1. Aspectos personales y/o contextuales para tener en cuenta.
2. Aspectos del desarrollo que tratar en la reunión inicial del curso escolar.
3. Presentación de la reunión.
4. Conclusiones y valoración personal.
5. Bibliografía.

#### 3.2.8.5 NORMAS DE TRABAJO

- Se debe utilizar un Lenguaje para la Igualdad en la Comunicación (LIC).
- La autoría de las fuentes consultadas se deberán citar a pie de página y/o en la bibliografía.
- Se deberá evitar la intertextualidad.
- El trabajo escrito tendrá la extensión que cada alumno estime oportuno para su realización (Letra ARIAL, tamaño12; justificado —alinear el texto en los márgenes derecho e izquierdo—; 1,5 interlineado de párrafo; y 2,5 para márgenes).
- El trabajo incluirá:
  o Portada

- Número y nombre de la práctica
- Grupo de prácticas al que pertenecen
- Grado
- Curso académico/cuatrimestre
  - Informe del caso

# NOTAS

# **NOTAS**

### 3.2.9 CASO 9. REUNIÓN CON LOS PADRES SOBRE EL USO DEL JUGUETE

#### 3.2.9.1 OBJETIVOS

1. Detectar aspectos o variables personales y/o contextuales que afectan al desarrollo integral del niño.
2. Conocer el impacto que determinadas situaciones personales o ambientales producen en los distintos ámbitos del desarrollo.
3. Analizar las relaciones que existen entre los distintos agentes y cómo afectan al desarrollo del niño.
4. Debatir propuestas y actuaciones para minimizar o potenciar el impacto de determinados agentes en el desarrollo del niño.

#### 3.2.9.2 CASO

El centro en el que trabajas está situado en una zona socialmente desfavorecida con edificios de nueva construcción. Planifica durante la segunda quincena de noviembre una reunión con padres de alumnos, del aula de 4 años, para valorar el uso del juguete.

#### 3.2.9.3 ESTUDIO DEL CASO

1. Señala la importancia del juego y del juguete en el desarrollo evolutivo. Justifica tu respuesta.
2. ¿Qué importancia concederías a los juguetes coeducativos en la reunión?
3. Teniendo en cuenta las características de las familias, ¿qué alternativas a la compra de juguetes plantearías?
4. ¿Qué relación crees que puede existir entre el número de juguetes que recibe el niño y su desarrollo evolutivo?
5. Prepara una pequeña presentación destacando estos aspectos siguientes: relación de tipo de juguete con el desarrollo evolutivo que fomenta (físico, intelectual, afectivo, social y moral),

#### 3.2.9.4 INFORME DEL CASO

Al finalizar el estudio el alumno elaborará un informe por ordenador según los apartados siguientes:
1. Aspectos personales y/o contextuales para tener en cuenta.
2. Aspectos del desarrollo que tratar en la reunión inicial del curso escolar.
3. Presentación de la reunión.
4. Conclusiones y valoración personal.
5. Bibliografía.

#### 3.2.9.5 NORMAS DE TRABAJO

- Se debe utilizar un Lenguaje para la Igualdad en la Comunicación (LIC).
- La autoría de las fuentes consultadas se deberán citar a pie de página y/o en la bibliografía.
- Se deberá evitar la intertextualidad.
- El trabajo escrito tendrá la extensión que cada alumno estime oportuno para su realización (Letra ARIAL, tamaño 12; justificado —alinear el texto en los márgenes derecho e izquierdo—; 1,5 interlineado de párrafo; y 2,5 para márgenes).
- El trabajo incluirá:
  o Portada

- ▪ Número y nombre de la práctica
- ▪ Grupo de prácticas al que pertenecen
- ▪ Grado
- ▪ Curso académico/cuatrimestre
- ○ Informe del caso

# NOTAS

# **<u>NOTAS</u>**

### 3.2.10 CASO 10. DAVID

### 3.2.10.1 OBJETIVOS

1. Detectar aspectos o variables personales y/o contextuales que afectan al desarrollo integral del niño.
2. Conocer el impacto que determinadas situaciones personales o ambientales producen en los distintos ámbitos del desarrollo.
3. Analizar las relaciones que existen entre los distintos agentes y cómo afectan al desarrollo del niño.
4. Debatir propuestas y actuaciones para minimizar o potenciar el impacto de determinados agentes en el desarrollo del niño.

### 3.2.10.2 CASO

David es un niño de 5 años, cuyos padres están divorciados, viviendo la madre en Alicante y su padre en Elche. El niño convive diariamente con la madre que padece una enfermedad terminal. David muestra una actitud negativista desafiante, provocando constantemente a sus compañeros y maestros, aunque sus notas en la escuela son muy buenas. La madre fallece a mediados del curso escolar, por lo que la custodia pasa a manos del padre. El niño cambia de colegio y de domicilio y se traslada a vivir a Elche con su padre. En el nuevo centro, tienen conocimiento de la realidad social del niño y se muestran más permisivos con David los primeros días de clase. Sin embargo, llega un momento en el que las conductas disruptivas que el niño provoca en el aula son intolerables. Al poco tiempo, llega al centro el historial y expediente académico de David del centro anterior, y comprueban que esos problemas de comportamiento ya los tenía David cuando vivía con su madre.

### 3.2.10.3 ESTUDIO DEL CASO

Ante esta situación responde las cuestiones en el estudio del caso:
1. Primera aproximación al estudio del caso.
2. Cuestionario de análisis e interpretación profesional del caso.
   a  ¿Qué aspectos o variables personales y/o contextuales tendrás en cuenta para llevar a cabo una primera valoración y/o actuación sobre el caso?
   b  ¿Crees que la situación familiar de David le puede estar afectando en algún aspecto de su desarrollo evolutivo (físico, intelectual, afectivo, social y moral)? ¿De qué manera?
   c  ¿Qué medidas adoptarías para mejorar las conductas escolares que manifiesta David?
   d  ¿Qué serie de medidas y actuaciones llevarías a cabo como tutor de David para favorecer su desarrollo? ¿Qué tipo de intervención llevarías con el padre? ¿Y en el centro? ¿Y en el aula?

### 3.2.10.4 INFORME DEL CASO

Al finalizar el estudio el alumno elaborará un informe por ordenador que según los apartados siguientes:
1. Primera aproximación al caso de estudio.
2. Análisis e interpretación profesional del caso (según preguntas).
3. Conclusiones y valoración personal.
4. Bibliografía.

### 3.2.10.5 NORMAS DE TRABAJO

- Se debe utilizar un Lenguaje para la Igualdad en la Comunicación (LIC).
- La autoría de las fuentes consultadas se deberán citar a pie de página y/o en la bibliografía.
- Se deberá evitar la intertextualidad.
- El trabajo escrito tendrá la extensión que cada alumno estime oportuno para su realización (Letra ARIAL, tamaño12; justificado —alinear el texto en los márgenes derecho e izquierdo); 1,5 interlineado de párrafo; y 2,5 para márgenes—.
- El trabajo incluirá:
  - o Portada
    - ▪ Número y nombre de la práctica
    - ▪ Grupo de prácticas al que pertenecen
    - ▪ Grado
    - ▪ Curso académico/cuatrimestre
  - o Informe del caso

# NOTAS

## **<u>NOTAS</u>**

### 3.2.11 CASO 11. MIGUEL

#### 3.2.11.1 OBJETIVOS

a) Detectar aspectos o variables personales y/o contextuales que afectan al desarrollo integral del niño.
b) Conocer el impacto que determinadas situaciones personales o ambientales producen en los distintos ámbitos del desarrollo.
c) Analizar las relaciones que existen entre los distintos agentes y cómo afectan al desarrollo del niño.
d) Debatir propuestas y actuaciones para minimizar o potenciar el impacto de determinados agentes en el desarrollo del niño.

#### 3.2.11.2 CASO

En clase de Infantil de 4 años, hay un niño llamado Miguel cuya madre está enferma de cáncer. El rendimiento del niño es satisfactorio. Sin embargo, en abril de ese curso, su madre fallece. El comportamiento del niño comienza a variar poco a poco: llama la atención de sus compañeros de clase, hace tonterías dentro del aula, su rendimiento comienza a disminuir y su implicación en clase es menor.

#### 3.2.11.3 ESTUDIO DEL CASO

Ante esta situación:
1. Primera aproximación al estudio del caso.
2. Cuestionario de análisis e interpretación profesional del caso.
   a. ¿Qué aspectos o variables personales y/o contextuales tendrás en cuenta para llevar a cabo una primera valoración y/o actuación sobre el caso?
   b. ¿Qué aspectos del desarrollo evolutivo (físico, intelectual, afectivo, social y moral) del niño piensas que pueden influir esta situación que está viviendo el niño y de qué manera?
   c. ¿Qué medidas de intervención llevarías a cabo para paliar estos comportamientos?
   d. ¿Qué orientaciones darías a los familiares del niño para paliar las consecuencias que conlleva esta nueva situación?

#### 3.2.11.4 INFORME DEL CASO

Al finalizar el estudio el alumno elaborará un informe por ordenador según los apartados siguientes:
1) Primera aproximación al caso de estudio.
2) Análisis e interpretación profesional del caso (según preguntas).
3) Conclusiones y valoración personal.
4) Bibliografía.

#### 3.2.11.5 NORMAS DE TRABAJO

- Se debe utilizar un Lenguaje para la Igualdad en la Comunicación (LIC).
- La autoría de las fuentes consultadas se deberán citar a pie de página y/o en la bibliografía.
- Se deberá evitar la intertextualidad.
- El trabajo escrito tendrá la extensión que cada alumno estime oportuno para su realización (Letra ARIAL, tamaño 12; justificado —alinear el texto en los márgenes derecho e izquierdo—; 1,5 interlineado de párrafo; y 2,5 para márgenes).

- Incluirá:
  - Portada
    - Número y nombre de la práctica
    - Grupo de prácticas al que pertenecen
    - Grado
    - Curso académico/cuatrimestre
  - Informe del caso

# NOTAS

# **<u>NOTAS</u>**

### 3.2.12 CASO 12. YURIMA

### 3.2.12.1 OBJETIVOS

a) Detectar aspectos o variables personales y/o contextuales que afectan al desarrollo integral del niño.
b) Conocer el impacto que determinadas situaciones personales o ambientales producen en los distintos ámbitos del desarrollo.
c) Analizar la influencia de la sobreprotección familiar en el desarrollo del niño.
d) Debatir propuestas y actuaciones para minimizar o potenciar el impacto de la acción familiar en el desarrollo del niño.

### 3.2.12.2 CASO

Yurima es una niña de 5 años, es hija única. Su familia está muy pendiente de ella, ya que suele tener miedo a los ruidos fuertes y a caerse al bajar por las escaleras y, por ello, sus padres han propuesto en la escuela eliminar las clases de música para evitar que su hija suba y baje las escaleras. En el inicio de curso, con la llegada de una nueva maestra, Yurima se muestra irascible, y empieza a llorar cuando la tutora plantea la realización de una actividad. Sus padres acuden al centro para manifestar su rechazo a la nueva maestra, argumentando que su hija le tiene miedo porque grita mucho y no quiere asistir al colegio. Suele faltar a la escuela ya que sus padres prefieren que esté en casa, aunque viven a veinte metros del colegio. Los padres en los dos años anteriores han acudido regularmente a sesiones de tutoría para ver el seguimiento de su hija y poder tener orientaciones para trabajar con ella a la salida del colegio.

### 3.2.12.3 ESTUDIO DEL CASO

Ante esta situación:
1. Primera aproximación al estudio del caso.
2. Cuestionario de análisis e interpretación profesional del caso.
   a) ¿Qué aspectos o variables personales y/o contextuales tendrás en cuenta para llevar a cabo una primera valoración y/o actuación sobre el caso?
   b) ¿Crees que la actuación familiar de Yurima le puede estar afectando en algún aspecto de su desarrollo evolutivo (físico, intelectual, afectivo, social y moral)? ¿De qué manera?
   c) ¿Qué medidas adoptarías para mejorar o minimizar los miedos que padece Yurima?
   d) ¿Qué orientaciones le darías a la familia de Yurima para favorecer su desarrollo en casa?

### 3.2.12.4 INFORME DEL CASO

Al finalizar el estudio el alumno elaborará un informe por ordenador según los apartados siguientes:
1. Primera aproximación al caso de estudio.
2. Análisis e interpretación profesional del caso (según preguntas).
3. Conclusiones y valoración personal.
4. Bibliografía.

### 3.2.12.5 NORMAS DE TRABAJO

- Se debe utilizar un Lenguaje para la Igualdad en la Comunicación (LIC).
- La autoría de las fuentes consultadas se deberán citar a pie de página y/o en la bibliografía.

- Se deberá evitar la intertextualidad.
- El trabajo escrito tendrá la extensión que cada alumno estime oportuno para su realización (Letra ARIAL, tamaño12; justificado —alinear el texto en los márgenes derecho e izquierdo—; 1,5 interlineado de párrafo; y 2,5 para márgenes).
- Incluirá:
  - o Portada
    - ▪ Número y nombre de la práctica
    - ▪ Grupo de prácticas al que pertenecen
    - ▪ Grado
    - ▪ Curso académico/cuatrimestre
  - o Informe del caso

# **NOTAS**

NOTAS

# NOTAS

_____

_____

_____

_____

_____

_____

_____

_____

_____

_____

_____

_____

_____

_____

_____

_____

_____

_____

_____

_____

_____

_____

_____

_____

_____

_____

_____

_____

_____

_____

_____

_____

_____

## NOTAS

_____

_____

### 3.2.13 CASO 13. LINGY

#### 3.2.13.1 OBJETIVOS

a) Detectar aspectos o variables personales y/o contextuales que afectan al desarrollo integral del niño.
b) Conocer el impacto que determinadas situaciones personales o ambientales producen en los distintos ámbitos del desarrollo.
c) Analizar la influencia de la sobreprotección familiar en el desarrollo del niño.
d) Debatir propuestas y actuaciones para minimizar o potenciar el impacto de la acción familiar en el desarrollo del niño.

#### 3.2.13.2 CASO

Lingy, es un niño de 4 años que procede una familia con un nivel socioeconómico alto. El padre es psicólogo y trabaja en el departamento de recursos humanos de una multinacional y la madre tiene el Grado Superior de Música y se dedica exclusivamente al cuidado de Lingy.

Debido a un cambio en el destino laboral del padre desde hace 5 meses se han trasladado de lugar de residencia. La familia está muy pendiente de la educación de Lingy y cuidan todos los detalles para que no le falte nada. Dos días a la semana el pequeño va a clases de iniciación de piano, otros dos días realiza natación y los sábados va a clase de pintura. Como su madre es inglesa, en casa se comunican y juegan en inglés.

Desde su traslado, Lingy se muestra irritable en casa: llora de forma exagerada y desobedece a menudo a su madre. Aunque en el colegio su rendimiento es bueno, la maestra está preocupada porque se muestra muy cansado y ausente en las actividades de grupo y explicaciones y en su relación con los iguales se comporta de manera distante e irascible. En la entrevista realizada con los padres, estos indican que a Lingy en casa no le falta de nada pero que manifiesta cierto desagrado al contexto escolar, aspecto al que no saben dar explicación.

#### 3.2.13.3 ESTUDIO DEL CASO

Ante esta situación:
1. Primera aproximación al estudio del caso.
2. Cuestionario de análisis e interpretación profesional del caso.
   a. ¿Qué aspectos o variables personales y/o contextuales tendrás en cuenta para llevar a cabo una primera valoración y/o actuación sobre el caso?
   b. ¿Crees que la actuación familiar de Lingy le puede estar afectando en algún aspecto de su desarrollo evolutivo (físico, intelectual, afectivo, social y moral)? ¿De qué manera?
   c. ¿A qué crees que se debe el comportamiento en casa y en la escuela? Justifica tu respuesta.
   d. En el caso de Lingy, ¿consideras necesario aplicar alguna estrategia de intervención en el aula? Justifica tu respuesta.

#### 3.2.13.4 INFORME DEL CASO

Al finalizar el estudio el alumno elaborará un informe por ordenador según los apartados siguientes:
1. Primera aproximación al caso de estudio.
2. Análisis e interpretación profesional del caso (según preguntas).
3. Conclusiones y valoración personal.

4. Bibliografía.

## 3.2.13.5 NORMAS DE TRABAJO

- Se debe utilizar un Lenguaje para la Igualdad en la Comunicación (LIC).
- La autoría de las fuentes consultadas se deberán citar a pie de página y/o en la bibliografía.
- Se deberá evitar la intertextualidad.
- El trabajo escrito tendrá la extensión que cada alumno estime oportuno para su realización (Letra ARIAL, tamaño12; justificado —alinear el texto en los márgenes derecho e izquierdo—; 1,5 interlineado de párrafo; y 2,5 para márgenes).
- Incluirá:
  - o Portada
    - ▪ Número y nombre de la práctica
    - ▪ Grupo de prácticas al que pertenecen
    - ▪ Grado
    - ▪ Curso académico/cuatrimestre
  - o Informe del caso

# NOTAS

# NOTAS

## 4. ESTILOS DE REFERENCIA

El estilo de referencia de la Asociación Psicológica Americana (APA) es el formato más aceptado y comúnmente utilizado por profesionales e investigadores de ciencias sociales, como Psicología, Magisterio, Enfermería y Criminología, entre otras. La adopción de un estilo de referencia compartido facilita la elaboración y redacción de trabajos, así como la comprensión por parte de otros profesionales interesados por disciplinas afines. Por ello, es imprescindible que los futuros profesionales de la educación posean habilidades para referenciar trabajos elaborados por otros autores en sus informes y dosieres.

En este apartado, se describirán brevemente las distintas formas de redactar las citas y referencias en un texto que mantiene el APA, así como el estilo de redacción de los trabajos citados en el apartado de Bibliografía.

### ¿Cómo citar un trabajo dentro de un texto?

El estilo de cita del APA requiere paréntesis dentro del texto más que en notas a pie de página o finales. La cita en texto proporciona información, concretamente, el nombre del autor (Apellido) y la fecha de publicación. Con esta información, el lector puede buscar la referencia completa (p.ej. revista, título del libro, volumen, etc.) de cada fuente citada en el texto en el apartado de Bibliografía, que usualmente está ubicada al final del trabajo en un apartado independiente.

Existen tres formas de referenciar un trabajo en el texto de un autor:
1. Autor y año citado en el texto (no es necesario un paréntesis). Por ejemplo: En un artículo de 2008, Inglés *et al.* examinan la prevalencia de la ansiedad en estudiantes de Educación Secundaria Obligatoria.
2. Autor no citado en el texto. Por ejemplo: Un estudio reciente elaborado con estudiantes de Educación Secundaria Obligatoria encontró un 12 % de adolescentes con ansiedad social. (Inglés *et al.*, 2008).
3. Autor citado en el texto. Por ejemplo: Inglés *et al.* (2008) hallaron una tasa de adolescentes con ansiedad social similar a la obtenida en población comunitaria.

Como se ha indicado, la información reseñada del trabajo puede presentarse de tres formas diferentes. Sin embargo, en el apartado de Bibliografía (al final del trabajo) se debe indicar la cita completa; en este caso, Inglés, C. J., Martínez-Monteagudo, M. C., Delgado, B., Torregrosa, M. S., Redondo, J., Benavides, G., García-Fernández, J. M. y García-López, L. J. (2008). Prevalencia de ansiedad social, conducta prosocial y conducta antisocial en una muestra de adolescentes españoles: un estudio comparativo. *Infancia y Aprendizaje, 21*, 449-461.

El autor del informe debe ser riguroso a la hora de referenciar correctamente los estudios de los que se sustenta o se apoya su trabajo. Siguiendo el estilo de referencia, el autor debe considerar los aspectos siguientes:

- Los estudios realizados con uno o dos autores se indican siempre todos los autores.
- En fuentes que involucran más de tres autores y menos de seis, la primera vez que se cite, se deben nombrar todos, luego, es posible reducir la cita al autor principal, seguida por la expresión "*et al.*", "y cols." o "y otros", antes del año de publicación.
- Los trabajos efectuados por seis o más autores, se indica siempre el apellido del primer autor seguido por la expresión "*et al.*", "y cols." o "y otros", antes del año de publicación.
- En las oportunidades en que una misma idea sea aportada por múltiples autores, las citas correspondientes se ordenan alfabéticamente, separadas cada una por un punto y coma. Por ejemplo: El porcentaje de ansiedad social en la adolescencia es aproximadamente el doble en chicas que en chicos, aunque ciertos trabajos indican ratios ligeramente inferiores (Stein y

Kean, 2000; Wittchen *et al.*, 1999) o superiores (Dell'Osso *et al.*, 2003, Gren-Landall *et al.*, 2009) al mencionado.

- Si se utiliza la idea de un mismo autor, pero en momentos temporales distintos, estas se citan en orden cronológico. Por ejemplo: Stein y Kean señalaron la alta comorbilidad de la ansiedad social con otros trastornos del estado del ánimo (2000, 2003).
- Si el uso de las especificaciones como *et al.* puede llevar a confusiones entre dos grupos de autores, por ejemplo, Wittchen, Stein y Kessler (1999) y Wittchen, Stein y Davies (1999), se debe citar todos los autores en cada mención.

### ¿Cómo referenciar los trabajos citados en el apartado de Bibliografía?

De igual modo que a la hora de citar las ideas de otros autores en el texto, es necesario ser muy cuidadosos cuando se incluyen las referencias al final del trabajo. Al realizar esta tarea se debe revisar meticulosamente que todas las referencias citadas se encuentran en el apartado de Bibliografía, y que los nombres y las fechas señaladas en el texto son las mismas que las que están en la referencia completa. De esta forma, cada una de las citas anteriores puede llevar a los lectores a una fuente de información al final del trabajo.

*Normas de estilo generales*

Las referencias completas deben ser escritas en orden alfabético por el apellido del (primer) autor seguido por la o las iniciales de su nombre de pila y un punto. Las referencias múltiples del mismo autor (o del mismo grupo de autores) se ordenan por año de publicación, de más antigua a más actual. Si el año de la publicación también es el mismo, se deben especificar cada uno de ellos escribiendo una letra a, b, c etc. después del año.

Cuando el apellido del autor es compuesto (p. ej., de la Cierva), se debe ordenar según del prefijo (p.ej., de) y asegurarse que así está indicado en la cita del texto.

Si el autor es una razón social, se debe ordenar de acuerdo a la primera palabra significativa de su nombre (p. ej., The British Psychological Society, se ordenaría en la "B" nunca en la "T").

| Regla General | Ejemplos |
|---|---|
| **Publicaciones periódicas (revistas)**<br><br>Autor, A. A. (año). Título del artículo. *Título de la revista, volumen,* páginas.<br>Autor, A. A., Autor, B. B., y Autor, C. C. (año). Título del artículo. *Título del periódico o revista, volumen,* páginas. | Un autor<br>Bassiony, M. M. (2005). Social anxiety disorder and depression in Saudi Arabia. *Depression and Anxiety,* 21, 90-94.<br><br>De dos a seis autores<br>Beidel, D. C., Turner, S. M., Hamlin, K. y Morris, T. L. (2000). The Social Phobia and Anxiety Inventory for Children (SPAI-C): External and Discriminative Validity. *BehaviorTherapy,* 31, 75-87.<br><br>Artículo de revista-magazine<br>Henry, W. A., III. (1990, abril, 9). Beyong the melting pot. *Time,* 135, 28-31<br><br>Revisión de un libro<br>Carmody, T. P. (1982). A new look at medicine form the social perspective [Revisión del libro *Social Context of health, illness, and patientcare*]. *Contemporary psychology,* 27, 208-209.<br><br>Artículo de diario + sin autor + páginas discontinuas<br>Generic Prozac debuts (2001, agosto 3). *The Washington Post,* pp. E1, E4.<br><br>Editorial de diario<br>Stress, cops and suicide [Editorial] (1993, diciembre, 1). *New York Times,* p. A22.<br><br>Editor + edición completa o sección especial<br>Barlow, D. H. (ed.) (1991). Diagnoses, dimensions, and DSM-IV: The science of classification [Edición especial]. *Journal of Abnormal Psychology, 100* (3). |

| Regla general | Ejemplos |
|---|---|
| **Publicaciones no periódicas (libros, capítulos de libro, presentaciones en congresos...)**<br><br>Libro: Autor, A. A. (año). *Título del libro.* Lugar de publicación: Editorial.<br><br>Capítulo de libro: Autor, A. A. (año). Título del capítulo. En A. A. Apellido del editor (Ed.), *Título del libro* (pp. XX-XX). Lugar de publicación: Editorial.<br><br>Presentaciones en congresos: Autor, A. A. (año). *Título de la presentación.* Trabajo presentado en el Congreso/Jornadas/Symposium "Nombre del evento", Fecha, Lugar de celebración. | Un autor<br>Bados, A. (2001). *Fobia social.* Madrid: Síntesis.<br><br>Autor corporativo + publicado por su autor<br>American Psychiatric Association (2000). *Diagnostic and statistical manual of mental disorders* (cuarta edición, revisada). Washington, DC: Author.<br><br>Autor anónimo<br>*Guidelines and application form for directors, 1990 summer seminar for school teachers.* (1988). Washington, DC: National Endowment forth humanities.<br><br>Capítulo en un libro<br>Castejón, J. L., Gilar, R. y Pérez, N. (2008). From "G" factor to multiple intelligences. En A. Valle, J. C. Núñez, R. G. Cabanach, J. A. González-Pienda y Rodríguez, S. (eds.), *Handbook of instructional resources and their applications in the classroom* (pp. 3-24). New York: Nova Science Publishers.<br><br>Documento ERIC<br>Mead, J. V. (1992). *Looking at old photographs: Investigating the teacher tales that novice teaches bring them* (Reporte No. NCRTL-RTR-92-4). East Lansing, MI: National Center for Research on Teaching Learning (Servicio de Reproducción de Documentos ERIC No. ED 346082).<br><br>Reporte + Oficina Gubernamental de Documentos<br>National Institute of Mental Health. (1990). *Clinical training in serious mental illness* (Publicación DHHS No. ADM 90-1679). Washington, DC: U. S. Government Printing Office.<br><br>Programa televisivo<br>Crystal, L. (Productor ejecutivo). (1993, Octubre 11). *The MacNeil/ Lehrer news hour.* [Programa televisivo]. New York and Washington, DC:Servicio de televisión abierta.<br><br>Cinta de video<br>National Geographic Society (Productora). (1987). *In the shadow of Vesuvius.* [Video]. Washington, DC: National Geographic Society.<br><br>Tesis y memorias<br>Beck, G. (1992). *Bullying amongst incarcerated young offenders.* Tesis de Maestría no publicada, Birkbeck College, University of London.<br><br>Presentaciones y conferencias<br>Delgado, B., Inglés, C. J., García-Fernández, J. M. y Ruiz-Esteban, C. (2010). Evaluación de la ansiedad social en la adolescencia: Un estudio comparativo en tres países europeos: España, Portugal y Eslovenia. Trabajo presentado en el II Congreso Internacional de Convivencia Escolar. *Marzo,* Almería, España.<br><br>Artículos no publicados (presentados/en preparación)<br>Black, P. T. (1998). *Educational level as a predictor of success.* Manuscrito no publicado.<br>Black, P. T. (1998). *Educational level as a predictor of success.* Manuscrito presentado para publicación.<br>Black, P. T. (1998). *Educational level as a predictor of success.* Manuscrito en preparación. |

| Regla General | Ejemplos |
|---|---|
| **Trabajos publicados en internet**<br>Autor, A. A. (año). *Título del trabajo*. Extraído el día del mes de año desde fuente www.ejdelaguia.com | Documento independiente, en línea<br>NAACP, (2001, 25 de febrero). *NAACP calls for presidential order to halt police brutality crisis*. Extraído el 3 de junio de 2001, desde http://www.naacp.org/president/ releases/police_brutality.htm<br><br>(*Nota: una dirección URL que continúe en la siguiente línea, se puede dividir después del slash o un signo de puntuación. No es válido insertar, o permitir que el procesador inserte, un guión para dividirla*).<br><br>Documento en línea independiente + sin autor<br>*GVU's 8th WWW user survey*. (n.d.). Extraído el 13 de septiembre de 2001 desde http://www.gvu.gatech.edu/user_surveys/survey-1997-10/<br><br>Comunicaciones por e-mail citadas entre paréntesis:<br>Las comunicaciones por e-mail deben ser citadas como comunicaciones personales. Por ejemplo, un e-mail de Jean Phinney debería ser citado en el texto: esta información fue verificada unos días después (J. S. Phinney, comunicación personal, 5 de junio de 2000).<br>No es necesario poner una entrada en el apartado "referencias"; sin embargo, si este mail forma parte de una lista de discusiones, ya no es considerado como comunicación personal y debe ser incluido en las referencias, de la siguiente forma: Dodwell, C. (31 de agosto, 2001). *Comentario de la respuesta de Smith* [Mens 16]. Mensaje enviado a http://www.wpunj.edu/ studentarchive/ msg0088.html<br><br>Sitios web en citaciones entre paréntesis<br>Para citar un sitio web completo (pero no un documento específico dentro de él), es suficiente dar la URL del sitio en el texto y no es necesario agregar una entrada en "referencias". Por ejemplo: Kidpsych es un excelente sitio web para los niños pequeños (http://www.kidpsych.org) |

## BIBLIOGRAFÍA

Blanca, L. y Padilla, G. (eds.) (2002). *Manual de estilo de publicaciones de la American Psychologycal Association*. Santafé de Bogotá: El Manual Moderno.

Canales, T. (2002). *Formato Apa. Quinta Edición*. Extraído el 24 de marzo de 2010, desde http://www.unap.cl/p4_biblio/docs/Normas_APA.pdf

Rodríguez, V. M. (2003). *Guía breve para la preparación de un trabajo de investigación según el manual de estilo de publicaciones de la American Psychological Association (APA)*. Extraído el 25 de febrero de 2010, desde http://biblioteca.sagrado.edu/guia-apa.htm

## 5. DINÁMICAS DE GRUPO
## CONTRIBUCIONES DE LA MUJER AL DESARROLLO DE LA PSICOLOGÍA

### INTRODUCCIÓN

En el ámbito científico existe una invisibilización de las aportaciones realizadas por las mujeres en la ciencia y en la tecnología. Su trabajo realizado no ha recibido la suficiente difusión ni el reconocimiento que se merecen. Por este motivo, el introducir la perspectiva de género en esta asignatura, favorece una mirada diferente, con el fin de descubrir las contribuciones que las mujeres científicas han realizado[1].

Con esta metodología de asignación de nombres de científicas destacadas, estaremos dando valor al trabajo realizado por ellas y que ha pasado desapercibido en los manuales de psicología y pedagogía.

### OBJETIVOS

1. Establecer una estrategia creativa de asignación de nombres a los grupos de trabajo (dejando de lado la asignación numérica estándar: grupo 1, grupo 2, etc.).
2. Visibilizar contenidos que sean importantes para el estudio del alumnado y que tengan relación con la materia de investigación grupal (grupo conductista, psicodinámico, cognitivo, etc.).
3. Reconocer el trabajo de las psicólogas y pedagogas que han sido significativas en la historia de la psicología y pedagogía.

### PROCEDIMIENTO DE ASIGNACIÓN

El alumnado, una vez que haya establecido el número de grupos de la clase, asignará un nombre de un listado de aquellas personas significativas en su ámbito científico que se quiere que reconozcan.

En el ámbito de la ciencia, por su carácter androcéntrico, existe una invisibilidad del trabajo desarrollado por las mujeres científicas. Es, por este motivo, una manera fácil de visibilizar a estas mujeres que no han tenido un espacio destacado en los manuales de la historia de la ciencia y se las pueda mostrar y reconocer.

Una vez asignados los nombres de mujeres destacadas a los grupos, se realizará por parte del alumnado:
1. Una pequeña introducción de la vida (datos sociodemográficos) y obra de estas científicas.
2. Contribuciones importantes a la psicología o la pedagogía infantil. Se deberá relacionar el tema que se está trabajando en clase con mujeres representativas de ese tema (por ejemplo, psicoanálisis, Anna Freud, Melanie Klein, desarrollo cognitivo piagetiano, BärbelInhelder, desarrollo evolutivo 0-3 EmmiPikler, etc.).

### LISTADO DE CIENTÍFICAS

Psicólogas españolas destacadas por su trabajo en la primera mitad del S. XX:

---

[1] Tal y como las investigadoras Hare-Mustin y Marecek afirman:
*La psicología tradicional se mantuvo de hecho sin mujeres en otro sentido. [...] Las pocas que había a menudo se volvían invisibles o quedaban marginadas, no se les reconocía su trabajo o se les negaban los recursos para una actividad académica productiva y aunque un remedio para la invisibilidad de las mujeres en psicología ha consistido en centrar de nuevo la atención en las aportaciones y logros de las mujeres excepcionales. Esto constituye un avance importante, pero sólo es algo parcial, ya que no pone en discusión de modo eficaz la norma masculina de la psicología sin mujeres (Hare-Mustin; Marecek, 1990, p.22-23).*

1. Mercedes Rodrigo Bellido.
2. M.ª Luisa Navarro Margati (más conocida por su nombre de casada M.ª Luisa Navarro de Luzuriaga).
3. Regina Lago García.
4. Concepción Sáez de Otero.

Tienen en común el haber sido becadas por la "Junta de Ampliación de Estudios e Investigaciones Científicas" (JAE) con el objetivo de acercar España a las universidades más prestigiosas de Europa, y abriéndose así a las corrientes científicas de vanguardia. La gran mayoría de ellas, fueron las traductoras de los psicólogos más importantes de la historia de la psicología.

Listado de psicólogas foráneas:

1. Carol Gilligan (discípula de Kohlberg, reestructuró su teoría con la aportación femenina).
2. Ana Freud (psicoanalista, especializada en psicoanálisis infantil).
3. Bärbel Inhelder (compañera de Jean Piaget, publicaron muchos trabajos conjuntamente).
4. Maccoby, Eleanor E. (psicóloga social, especializada en infancia).
5. Gibson, Eleanor J. (psicóloga famosa por su estudio del "abismo visual" en su estudio del desarrollo perceptivo en bebés).
6. Ainsworth, Mary D. (psicóloga destacada en sus estudios sobre el apego).
7. Florence L. Goodenaugh (psicóloga famosa por su trabajo en el campo de la evaluación infantil, test de la figura humana).

Otras: Mary Whiton Calkins, Christine Ladd-Franklin y Margaret Floy Washburn, psicólogas reconocidas por R. B. Catell.

Las historiadoras de la psicología han sido mujeres: Dianne Pappalia, Sally Wendkos Olds, y más…

Pedagogas españolas:

❖ Leonor Serrano Pablo
❖ Dolores González Blanco
❖ María de Maeztu Withney
❖ Marta Ángela Mata i Garriga
❖ Margarita Comas Camps
❖ Rosa Sensat i Vila
❖ M.ª Ángeles Galindo Carrrillo
❖ Concepción Sáinz Amor
❖ Palmira Pla Pechovierto

Otras pedagogas foráneas: María Montessori.

Esta propuesta de listados puede ser modificada incluyendo otras mujeres o temáticas. La visibilización también se puede establecer con científicos de otros orígenes no occidentales, etc. También puede ser utilizada para establecer dinámicas con el alumnado de enseñanzas no universitarias para introducir a escritores, artistas, compositores, etc.

## BIBLIOGRAFÍA

García Dauder, S. (2005). *Psicología y feminismo. Historia olvidada de las mujeres pioneras en psicología.* Madrid: Narcea.

Martin Eced, T. (2009). Mujeres y renovación pedagógica en Alcalá Cortijo, P., Corrales Rodrigáñez, C., López Giráldez J., *Ni tontas ni locas* (pp. 170-205). Madrid: Fundación Española para la Ciencia y la Tecnología, FECYT. Disponible en: http://www.fecyt.com/fecyt/docs/tmp/1256490884.pdf.

García Colmenares, C. (2006). Autoridad femenina y reconstrucción biográfica: el caso de las primeras psicólogas españolas. *Revista de investigación en educación 3,* 51-70. Disponible en: http://webs.uvigo.es/reined/ojs/index.php/reined/article/viewFile/22/13.

Hare-Mustin, R. y Marecek, J. (1990). Marcar la diferencia. En R. Hare-Mustin, y J. Marecek, *Marcar la diferencia: psicología y construcción de los sexos* (pp. 15-38). Barcelona: Herder.

## 6. SISTEMA DE EVALUACIÓN

Los alumnos deberán realizar cada práctica propuesta semanalmente, trayendo en cada sesión las prácticas anteriores confeccionadas. Estas deberán incluirse en un *dossier* (portafolios), el cual podrá ser recogido por el profesor de la asignatura en cualquier momento.

El *dossier* portafolios se entregará en formato impreso y en formato electrónico (CD/DVD). El formato electrónico contendrá todas las prácticas (obligatorias y voluntarias), fichas de trabajo con alumnos, notas de clase, fotografías, vídeos, etc. El portafolios en ambos formatos se entregará a final de curso. El profesor se quedará el CD/DVD y devolverá el *dossier* en formato impreso.

# 7. BIBLIOGRAFÍA

Adroher, O., Casanova, A., Navarra, L. y Rius, M. (1995). L'ensenyament-aprenentatge de la lectoescriptura sota enfocament constructivista. *Guix, 213-214,* 99-106.

Arriaza, J. C. (2006). *Cuentos para hablar. Cuentos para la estimulación del lenguaje oral: praxias, ritmo, vocabulario, comprensión y expresión.* Madrid: CEPE.

Aucouturier, B. (1997). Introducción a la Práctica Psicomotriz. *Aula de Innovación Educativa, 136,* 79-83.

Benlloch, M. (2002). D'il·lusió també s'ensenya: Els bits d'intel·ligència o comaprendre a dirnoms. *Infancia, 124,* 7-11.

Bernal, J.L. (2006). *Pautas para el diseño de una asignatura desde la perspectiva de los ECTS.* Zaragoza: Universidad de Zaragoza.

Bernson, M. (1962). *Del garabato al dibujo (evolución gráfica de los niños pequeños).* Buenos Aires: Ed. Kapelusz.

Berruezo, P. P. (1995). El cuerpo, el desarrollo y la psicomotricidad. *Psicomotricidad. Revista de estudios y experiencias, 49,* 15-26.

Berruezo, P. P. (1996). "La psicomotricidad en España: de un pasado de incomprensión a un futuro de esperanza". *Psicomotricidad. Revista de Estudios y Experiencias, 53,* vol. 2, 57-64

Berruezo, P. P. (2000). El contenido de la psicomotricidad. En Bottini, P. (ed.) *Psicomotricidad: prácticas y conceptos.* pp. 43-99. Madrid: Miño y Dávila.

Bettelheim, B. y Zelan, K. (2001). *Aprender a leer.* Ed. Crítica.

Biniés, P. (1997). La práctica psicomotriu: El joc i la acció. *Infància Revista de l'Associació de mestres Rosa Sensat, 94.* 9-11.

Blanca, L. y Padilla, G. (eds.) (2002). *Manual de estilo de publicaciones de la American Psychologycal Association.* Santafé de Bogotá: El Manual Moderno.

Blanca, L. y Padilla, G. (eds.) (2002). *Manual de estilo de publicaciones de la American Psychologycal Association.* Santafé de Bogotá: El Manual Moderno.

Canal Documanía (1998). *Niños japoneses, la competencia sin límites* [Video]. Disponible en: http://www.youtube.com/watch?v=yamvQ4SU1Kk&feature=related

Canales, T. (2002). *Formato Apa-Quinta Edición.* Extraído el 24 de marzo de 2010 desde http://www.unap.cl/p4_biblio/docs/Normas_APA.pdf

Canales, T. (2002). *Formato Apa-Quinta Edición.* Extraído el 24 de marzo de 2010 desde http://www.unap.cl/p4_biblio/docs/Normas_APA.pdf

Castells, N. (2009). La problemática de los métodos de enseñanza de la lectura: ¿qué sabemos en este momento? *Aula de Innovación Educativa, 179,* 29-32.

De Miguel, C. (2004). Educamadrid. El ordenador en las aulas de Educación Infantil Experiencia de la Escuela Infantil Zaleo. En C. De Miguel (coord.) *Las Tecnologías de la Información y la Comunicación en Educación Infantil y Primer Ciclo de Educación Primaria* (pp. 97-108). Extraído el 29 de marzo de 2011, desde http://www.educacionenvalores.org/IMG/pdf/1474.pdf

Decreto 37/2008, de 28 de marzo, del Consell, *por el que se establecen los contenidos educativos del primer ciclo de la Educación Infantil en la Comunitat Valenciana* [2008/3829].

Decreto 38/2008, de 28 de marzo, del Consell, *por el que se establece el currículo del segundo ciclo de la Educación Infantil en la Comunitat Valenciana* [2008/3838].

Doman, G. (2008). *Cómo enseñar a leer a su bebé.* Madrid: Ed. Edaf.

Ferreiro, E. (1998). *Nuevas perspectivas sobre los procesos de lectura y escritura.* Madrid: Ed. Siglo XXI.

García Colmenares, C. (2006). Autoridad femenina y reconstrucción biográfica: el caso de las primeras psicólogas españolas. *Revista de investigación en educación 3,* 51-70. Disponible en: http://webs.uvigo.es/reined/ojs/index.php/reined/article/viewFile/22/13

García Dauder, S. (2005). *Psicología y feminismo. Historia olvidada de las mujeres pioneras en psicología.* Madrid: Narcea.

Gardner, H. (1999). *La teoría en la práctica.* Barcelona: Paidós

Gardner, H. (2001). *La inteligencia reformulada: las inteligencias múltiples en el siglo XXI.* Barcelona. Paidós.

Gardner, H., Feldman, D., y Krechevsky, M. (2000a). El proyecto Spectrum. Tomo I. *Construir sobre las capacidades infantiles.* Madrid: MEC/Morata.

Gardner, H., Feldman, D., y Krechevsky, M. (2000b) El proyecto Spectrum. Tomo II. *Actividades de aprendizaje en Educación Infantil.* Madrid: MEC/Morata.

Gardner, H., Feldman, D., y Krechevsky, M. (2000c). El proyecto Spectrum. Tomo III. *Manual de evaluación para educación infantil.* Madrid: MEC/Morata.

Gilar, R., González, C., Mañas, C. y Ordóñez, T. (2009). Guía docente de Psicología de la Educación y del desarrollo en edad escolar, en Gomis, A y Lledó, A., *Un proyecto colaborativo en la Facultad de Educación. Guías docentes de la titulación de maestro.* Serie Redes. Alicante: Universidad de Alicante. Marfil.

Gomis, N. (2007). *La evaluación de las inteligencias múltiples en el contexto educativo a través de expertos, maestros y padres.* Universidad de Alicante.

Guerrero, P., López, A. (1999). *El taller de la lengua y la literatura.* Murcia: Ed. Regional.

Hare-Mustin, R. y Marecek, J. (1990). Marcar la diferencia. En R. Hare-Mustin, y J. Marecek, *Marcar la diferencia: psicología y construcción de los sexos* (pp. 15-38). Barcelona: Herder.

Honoré, C. (2009). Tecnología: bytes de realidad. En Honoré, *Bajo presión. Como educar a nuestros hijos en un mundo hiperexigente* (pp. 103-125). Barcelona: RBA

Horno, P. (1998). *Entrevista a Pepa Horno* [Video]. Disponible en: http://vimeo.com/10069295

Horno, P. (2006). Atención a los niños y las niñas víctimas de la violencia de género. *Intervención Psicosocial 15,* 307-316. Disponible en: http://scielo.isciii.es/pdf/inter/v15n3/v15n3a05.pdf

Horno, P. (2008). Salvaguardar los derechos desde la escuela: educación afectivo-sexual para la prevención primaria del maltrato infantil. *Revista de Educación, 347,* 127-140. Disponible en: http://www.revistaeducacion.mec.es/re347/re347_06.pdf

Irastorza, A. (2011). *Abordaje emocional desde la psicomotricidad relacional* [Video]. Disponible en: http://www.youtube.com/watch?v=B-VJnyCCtMU&feature=player_embedded

Lowenfeld, V. (1958). *El niño y su arte.* Buenos Aires: Ed. Kapelusz.

Lowenfeld, V. (1992). *Desarrollo de la capacidad creadora.* Buenos Aires: Ed. Kapelusz.

Martin Eced, T. (2009). Mujeres y renovación pedagógica en Alcalá Cortijo, P., Corrales Rodrigáñez, C.; López Giráldez J. *Ni tontas ni locas* (pp. 170-205). Madrid: Fundación

Española para la Ciencia y la Tecnología, FECYT. Disponible en: http://www.fecyt.com/fecyt/docs/tmp/1256490884.pdf

Martínez, A. (2005). *Penalty* [Video-Cortometraje].

Maruny, LL., Ministral, M. y Miralles, M. (1997). *Escribir y leer*. MEC: Ed. Edelvives.

Monfort, M. y Juárez, A. (2006). *El niño que habla. El lenguaje oral en el preescolar*. Madrid: CEPE.

Orden 1/2010, de 3 de mayo, de la Consellería de Educación y de la Consellería de Bienestar Social (DOGV N.º 6276), por la que se implanta la hoja de notificación de la posible situación de desprotección del menor detectada desde el ámbito educativo en la Comunidad Valenciana y se establece la coordinación interadministrativa para la protección integral de la infancia.

Pérez-Olarte, P. (2002). Els bits d'intel·ligència: consideracions des de la vessant neurològica i del desenvolupament. *Infancia, 124*, 34-36.

Prieto, M.D y Ballester, P. (2003). *Las inteligencias múltiple: diferentes formas de enseñar y aprender.* Madrid: Ediciones Pir.

Quiroga, P. (2007). ¿Qué dibujan los niños? Constructivismo y ambientalismo en el dibujo infantil? *Revista Papeles Salmantinos de Educación, 8.*

Quiroga, P. (2007). Dibujo infantil desde la perspectiva constructivista, una propuesta para su análisis en el aula. *Revista Papeles Salmantinos de Educación, 8.*

Real Decreto 1125/2003, de 5 de septiembre, por el que se establece el sistema europeo de créditos y el sistema de calificaciones en las titulaciones universitarias de carácter oficial y validez en todo el territorio nacional (BOE del 10/09/2003).

Real Decreto 55/2005, de 21 de enero, por el que se establece la estructura de las enseñanzas universitarias y se regulan los estudios universitarios oficiales de Grado (BOE del 25/01/2005).

Redes, RTVE (2010). *No me molestes, mamá, estoy aprendiendo* [Video]. Disponible en: http://www.rtve.es/television/20101205/no-molestes-mama-estoy-aprendiendo/381903.shtml

Rodríguez Menéndez, M.C.; Torío López, S. (2005). El discurso de género del profesorado de educación infantil: hablando acerca de la ética del cuidado. *Revista Complutense de Educación, 16* (2), 471-487. Disponible en: http://revistas.ucm.es/edu/11302496/articulos/RCED0505220471A.PDF

Rodríguez, V. M. (2003). *Guía breve para la preparación de un trabajo de investigación según el manual de estilo de publicaciones de la American Psychological Association (APA),* extraído el 25 de febrero de 2010, desde http://biblioteca.sagrado.edu/guia-apa.htm

Rodríguez, V. M. (2003). *Guía breve para la preparación de un trabajo de investigación según el manual de estilo de publicaciones de la American Psychological Association(APA),* extraído el 25 de febrero de 2010, desde http://biblioteca.sagrado.edu/guia-apa.htm

Romano, M. E. (1975). *El dibujo de la figura humana como técnica proyectiva*. Madrid: Ed. Gredos.

Romano, V. (2001). Pros y contras de la e-educación. *Revistas de Educación, número extraordinario,* 211-216.

Serrano, M (2006). Estimulación del lenguaje oral en educación infantil. En *Revista Digital Investigación y Educación, 22.* Disponible en: http://www.csi-csif.es/andalucia/modules/mod_sevilla/archivos/revistaense/n22/nivel_educacion_infantil_titulo_la_estimulacion_del_lenguaje_oral_en_educacion_infantil_autora_mila_serrano_gonzalez.pdf

Simón Rodríguez, M. E (2010). *La Igualdad también se aprende. Cuestión de Coeducación*. Narcea ed. Madrid.

Simón Rodríguez, M. E. (2008). *Hijas de la igualdad, herederas de injusticia*. Madrid: Narcea.

Small, G. y Vorgan, G. (2008). Nuestro cerebro está evolucionando. En G. Small y G. Vorgan, *El cerebro digital: cómo las nuevas tecnologías están cambiando nuestra mente* (pp. 15-38). Barcelona: Agencia literaria.

Solé, I. (1992). *Estrategias de lectura*. Barcelona: Ed. Graó.

Solé, I. (2000). Leer, escribir y aprender. *Aula de Innovación Educativa, 96*, 6-9.

Subirats, M. y Tomé, A. (2007). *Balones fuera. Reconstruir los espacios desde la coeducación*. Barcelona: Octaedro.

Subirats, M. y Brullet, C. (1988). Rosa y Azul. La transmisión de los géneros en la Escuela mixta. *Instituto de la Mujer. Serie Estudios n.º 19*.

Teberosky, A. (1992). *Aprendiendo a escribir*. Barcelona: Horsori-ICE.

Teberosky, A. y Ferreiro, E. (1979). *Los sistemas de escritura en el desarrollo del niño*. Madrid: Ed. Siglo XXI.

Tolchinsky, L. y Teberosky, A. (1992). *Al pie de la letra. Infancia y aprendizaje*, 59/60, 101-30.

Tolchinsky, L., y Ríos, I. (2009). ¿Qué dicen los maestros que hacen para enseñar a leer y a escribir? *Aula de Innovación Educativa, 179*, 24-28.

# 8. ANEXOS

8.1 Presentaciones digitales
   a. Psicomotricidad relacional
   b. Desarrollo lectoescritor
   c. Desarrollo del grafismo
   d. Observación y experimentación

8.2 Fichas de actividades lectoescritura

8.3 Encuestas sobre el uso de las Tecnologías de la Información y Comunicación en la infancia
   a. Para docentes
   b. Para padres

8.4 Ficha de observación de estilos de trabajo

8.5 Ficha de observación de la actividad

8.6 Protocolos de observación de lenguaje
   a. Datos de observación del niño o la niña.
   b. Relación niños y programa de estimulación lenguaje oral

8.7 Protocolos de observación de las actividades de observación y experimentación
   a. Juego del dinosaurio
   b. Juego de hundir y flotar

**Anexo 8.1.a**

**Práctica 3**.
DESARROLLO PSICOMOTOR
DE 3-6 AÑOS

Grado de Magisterio de Educación Infantil
Psicología Evolutiva de 3-6 años

---

Universitat d'Alacant
Universidad de Alicante

**1. PSICOMOTRICIDAD RELACIONAL (PR)**

Disciplina que considera el cuerpo del niño de modo integral, considerando tanto aspectos cognitivos (dimensiones, lateralidad…) como emocionales (afectividad, relación con uno mismo y con otros, sensibilidad…).

**Objetivos**
Potenciar el desarrollo motor, sensorial e intelectual, el ajuste afectivo-emocional y el desarrollo de la personalidad y del pensamiento simbólico a través del movimiento.
Crear un ámbito para la expresión de afecto (deseos, conflictos, necesidades…)

---

Universitat d'Alacant
Universidad de Alicante

**2. CARACTERÍSTICAS DE LA PR**

- Juego libre, no estructurado y espontáneo
- Cada niño sigue su ritmo y actividad
- Relaciones con el espacio y el material
- Máxima permisividad y mínimas prohibiciones
- Normas básicas:
  - No se permite la violencia real (solo simbólica)
  - Espacio delimitado
  - Uso del material de la sesión

---

Universitat d'Alacant
Universidad de Alicante

**3. BENEFICIOS DEL JUEGO ESPONTÁNEO**

1. Permite el desarrollo psicomotriz: esquema corporal, equilibrio y posibilidades de movimiento y acción sobre el espacio, objetos y otras personas.
2. Permite expresar lo que se piensa y siente (útil para resolver dificultades pasadas o presentes).
3. Permite experimentar las limitaciones y posibilidades de la realidad y de las fantasías junto a otros.
4. Permite aprender a solucionar conflictos de forma autónoma.
5. Proporciona una profunda sensación de bienestar (control)
6. Permite la expresión simbólica de la agresividad (causas frustración, dominio, afirmación...).

---

Universitat d'Alacant
Universidad de Alicante

**4. MATERIAL DE LA SESIÓN**

Características de la <u>sala</u>
• Amplia pero controlada.
• Suelo limpio, liso y agradable (no muy frío).

Características del <u>material</u>:
• Flexible
• Poco determinado
• Multiusos
• Abundante
• Que permita la construcción

<u>Tipos</u>: aros, balones, telas, cuerdas de algodón, cojines, papel, grandes cajas de cartón o plástico, bancos suecos, colchonetas, potros, plintos, espalderas...
<u>Funciones</u>: depende de sus características

---

Universitat d'Alacant
Universidad de Alicante

**4. MATERIAL DE LA SESIÓN II**

• <u>Pelotas y aros</u>: inducen situaciones dinámicas, posibilidad de crear juegos convencionales, facilita la interacción inicial con otros, invita al desplazamiento, descubrimiento y la aventura.

• <u>Telas</u>: creación de disfraces (personajes), jugar a aparecer-desaparecer, jugar con miedos (fantasmas), crear lugar de seguridad, placer sensoriomotriz (ser arrastrado, envuelto, columpiado...).

• <u>Cuerdas</u>: potencian situaciones de bajo contenido agresivo (atrapar, retener, controlar) y de separación. Se utilizan junto a otros objetos (p. ej. telas, cubos...).

• <u>Tubos</u>: utilizado en grupos poco agresivos, puede utilizarse de modo pulsional.

• <u>Papel</u>: permite el placer sensoriomotriz (envolverse, revolcarse...), destrucción, construcción de nidos o lugares de seguridad.

• <u>Cojines, cubos y bloques de construcción</u>: ayuda a trabajar aspectos como la toma de distancia de cuerpo del otro y la separación.

Universitat d'Alacant
Universidad de Alicante

**5. PROCEDIMIENTO DE LA SESIÓN**

- 1-2 sesiones/semana
- Duración: 1 hora
- Educación Infantil y Primaria

- Inicio y fin de cada sesión claramente marcados
  - Inicio (ritual de entrada)
    - Centrar la atención en el momento
    - Presentación del material
    - Recordatorio de las normas
  - Final: reunión en corro

Universitat d'Alacant
Universidad de Alicante

**6. FUNCIONES DEL EDUCADOR**

- No hay normas fijas de actuación
- Pueden permanecer:
  - Inactivamente activos (observación dinámica).
  - Activos (participando en el juego).

- Actitud permisiva, disponible y receptiva.
- Figura adulta (mantenimiento de normas).
- Analizar la realidad (gestos, movimientos, interacciones…) para saber cuando intervenir.
- Elección del material de la sesión.

Universitat d'Alacant
Universidad de Alicante

**7. ASPECTOS A OBSERVAR/ANALIZAR**

- Psicomotricidad gruesa y fina, esquema corporal, lateralidad…

- Actitud del niño con relación :
  - al grupo y al adulto: no juega, juega solo, actúa como líder, es pasivo, hiperactivo…
  - al espacio: ocupa todo el espacio, está por los rincones, paredes…
  - a los objetos: no utiliza ninguno, utiliza uno o varios, acapara, comparte…

- Tipo de juegos: placer sensoriomotriz, juegos convencionales, percusión, agresivos, persecución, competición, aparecer-desaparecer, espacios seguros (casa, cama…), construcción, simbólicos o de roles, repetitivos…

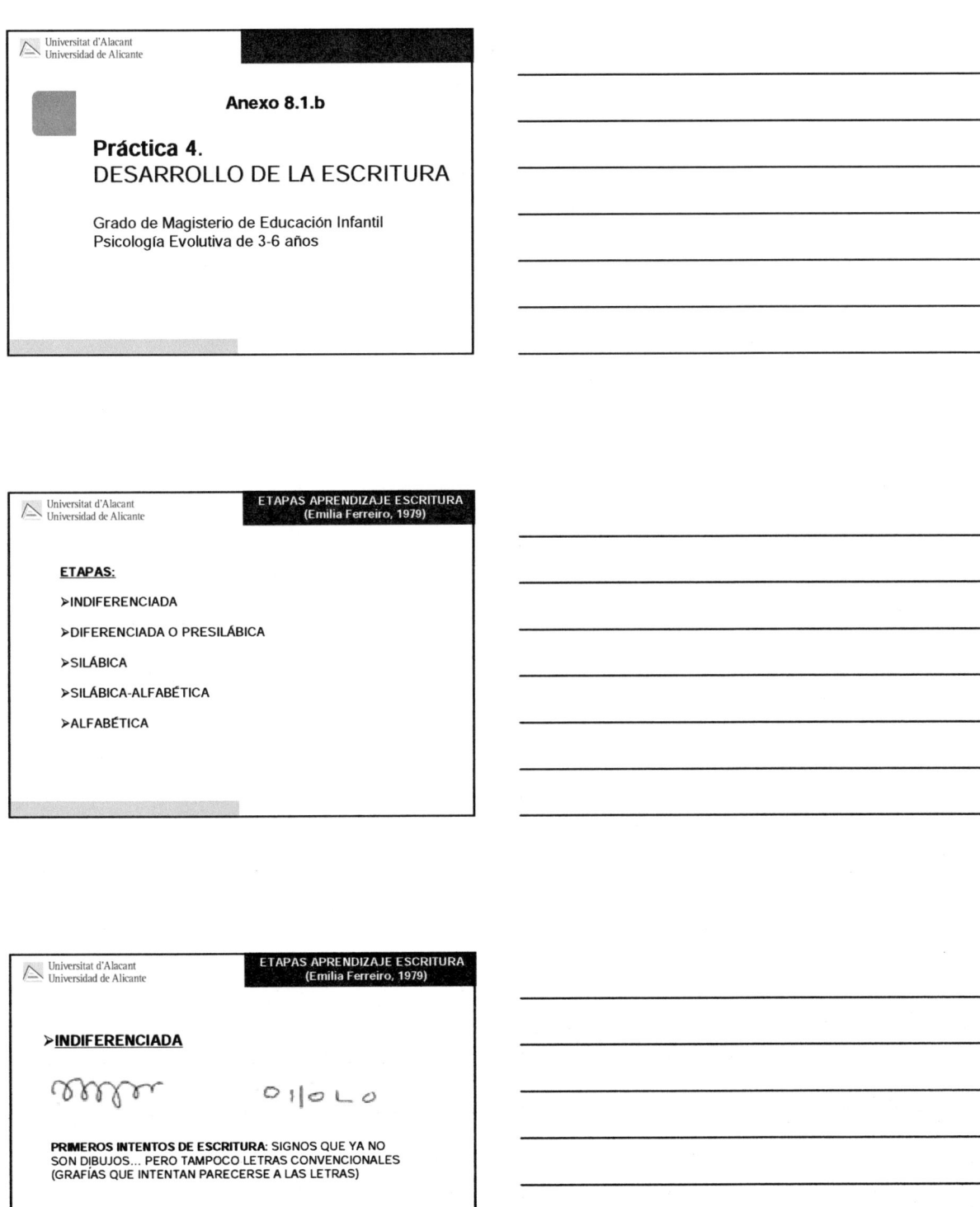

**Anexo 8.1.b**

**Práctica 4**.
DESARROLLO DE LA ESCRITURA

Grado de Magisterio de Educación Infantil
Psicología Evolutiva de 3-6 años

Universitat d'Alacant
Universidad de Alicante

---

ETAPAS APRENDIZAJE ESCRITURA
(Emilia Ferreiro, 1979)

**ETAPAS:**

➢INDIFERENCIADA

➢DIFERENCIADA O PRESILÁBICA

➢SILÁBICA

➢SILÁBICA-ALFABÉTICA

➢ALFABÉTICA

---

ETAPAS APRENDIZAJE ESCRITURA
(Emilia Ferreiro, 1979)

➢**INDIFERENCIADA**

**PRIMEROS INTENTOS DE ESCRITURA**: SIGNOS QUE YA NO
SON DIBUJOS... PERO TAMPOCO LETRAS CONVENCIONALES
(GRAFÍAS QUE INTENTAN PARECERSE A LAS LETRAS)

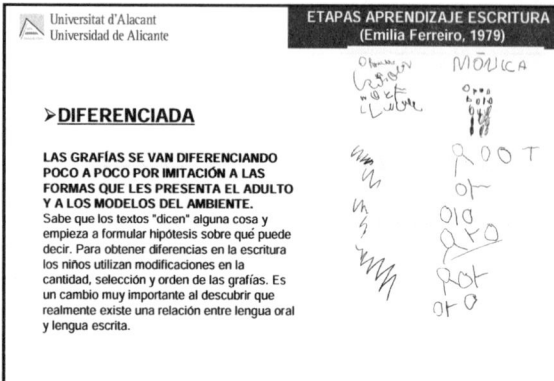

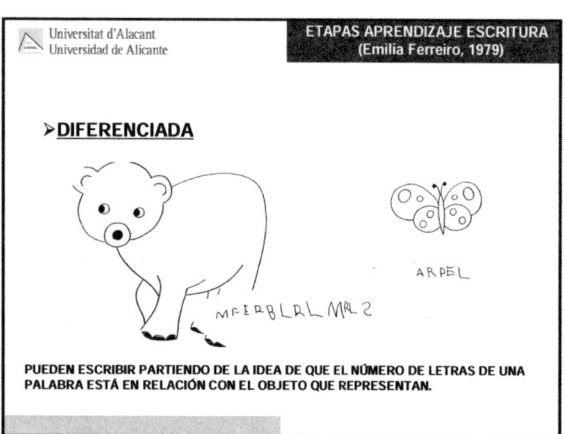

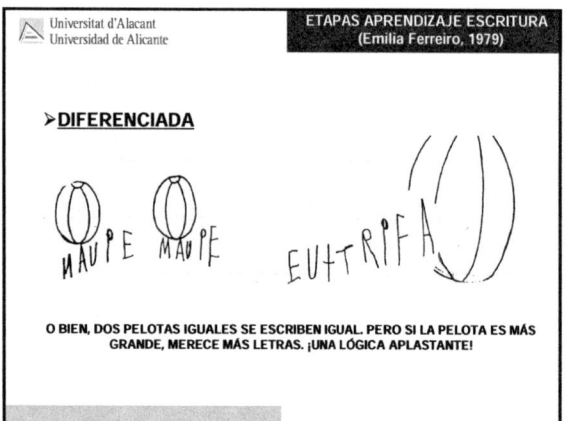

Universitat d'Alacant
Universidad de Alicante

**ETAPAS APRENDIZAJE ESCRITURA**
**(Emilia Ferreiro, 1979)**

➤**DIFERENCIADA**

E ZAR

EZAR EZARE ZAR EZAR

**O BIEN, PARA ESCRIBIR EL PLURAL, UTILIZAN EL RECURSO DE REPETIR LA PALABRA TANTAS VECES COMO EL NÚMERO DE OBJETOS AL QUE SE REFIERE EL PLURAL**

---

Universitat d'Alacant
Universidad de Alicante

**ETAPAS APRENDIZAJE ESCRITURA**
**(Emilia Ferreiro, 1979)**

➤**SILÁBICA**

NOIEADE(MHIVUI
(macedonia de frutas)

O EE (plátanos)

IE EO (melocotón)

AEA (naranjas)
OEIAO (manzanas verdes)

EN ESTA ETAPA SE DESCUBREN LAS RELACIONES ENTRE LA ESCRITURA Y LAS PAUSAS SONORAS, LA SEGMENTACIÓN SILÁBICA, EL RITMO... AHORA, **CADA LETRA REPRESENTA UN SONIDO** (cada sílaba se representa por una letra o una grafía, normalmente vocales)

---

Universitat d'Alacant
Universidad de Alicante

**ETAPAS APRENDIZAJE ESCRITURA**
**(Emilia Ferreiro, 1979)**

➤**SILÁBICA**

AE WA PO
CA FE ME SA PA TO

Hipótesis silábica sin valor sonoro

IUT UMIR
Helado     Chocolate

Hipótesis silábica con valor sonoro

EAO OOAE
Helado     Chocolate

EN ESTA ETAPA SE REALIZAN **DOS TIPOS DE HIPÓTESIS:**

-HIPÓTESIS SILÁBICA CUANTITATIVA: Tiene que haber cierta cantidad de letras, usan las vocales y añaden letras de más. Diferencian la segmentación de las sílabas. Y, para ellos, escribir supone poner un símbolo para cada sílaba.

-HIPÓTESIS SILÁBICA CUALITATIVA: Se trata de que generalmente usan más las vocales. Para cada sílaba escriben un símbolo, y este símbolo coincide con una de las letras que representa alguno de los sonidos que componen las sílabas.

Universitat d'Alacant
Universidad de Alicante

ETAPAS APRENDIZAJE ESCRITURA
(Emilia Ferreiro, 1979)

➢ **SILÁBICO-ALFABÉTICA**

P S K D O          M O I A          i E O  U  C A A E I O
PES CA DO          MO CHI LA        QUIE RO  UN  CA RA ME LO

**ES UN PERIODO DE TRANSICIÓN.** MANEJA LAS DOS HIPÓTESIS: ALGUNAS
LETRAS MANTIENEN EL VALOR SILÁBICO-SONORO, MIENTRAS QUE OTRAS NO,
CONVIVIENDO AMBAS HIPÓTESIS EN UNA MISMA ESCRITURA.

---

Universitat d'Alacant
Universidad de Alicante

ETAPAS APRENDIZAJE ESCRITURA
(Emilia Ferreiro, 1979)

➢ **ALFABÉTICA**

O Y  FUIMOS AL PARCE          A I U N A B U I E R O
HOY  FUIMOS  AL PARQUE         Hay un agujero

**A CADA LETRA LE CORRESPONDE UN VALOR SONORO.**
A PESAR DE QUE HAN AVANZADO EN LA CONSTRUCCIÓN DEL SISTEMA DE
ESCRITURA, ESTA HIPÓTESIS NO ES EL PUNTO FINAL DE UN PROCESO, YA QUE
LUEGO SE ENFRENTARÁ CON OTRAS DIFICULTADES (ORTOGRAFÍA, SEPARACIÓN
DE PALABRAS…)

---

Universitat d'Alacant
Universidad de Alicante

FICHA DE LECTOESCRITURA

ME LLAMO_____
ESCRITURA ESPONTÁNEA. ESCRIBE EL NOMBRE DE ESTOS ALIMENTOS.

Universitat d'Alacant
Universidad de Alicante

## BIBLIOGRAFÍA

- Teberosky, A. y Ferreiro, E. (1979). Los sistemas de escritura en el desarrollo del niño. Ed. Siglo XXI.
- Doman, G. Cómo enseñar a leer a su bebé.
- Maruny, LL.; Ministral, M.; Miralles, M. Escribir y leer. Ed. Edelvives-MEC.
- Bettelheim, B.; Zelan, K. Aprender a leer. Ed. Grijalbo.
- Ferreiro, E. (1998). Nuevas perspectivas sobre los procesos de lectura y escritura. Madrid: Ed. Siglo XXI.
- Guerrero, P., López, A. (1999). El taller de la lengua y la literatura. Murcia: Ed. Regional

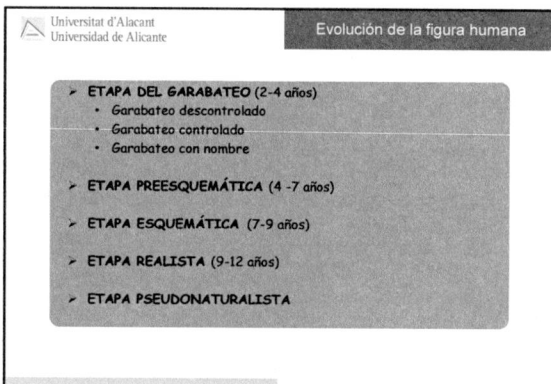

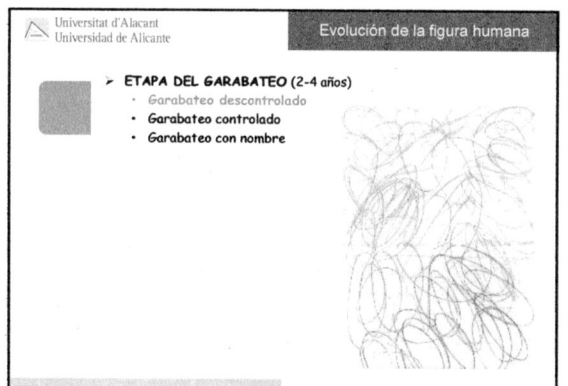

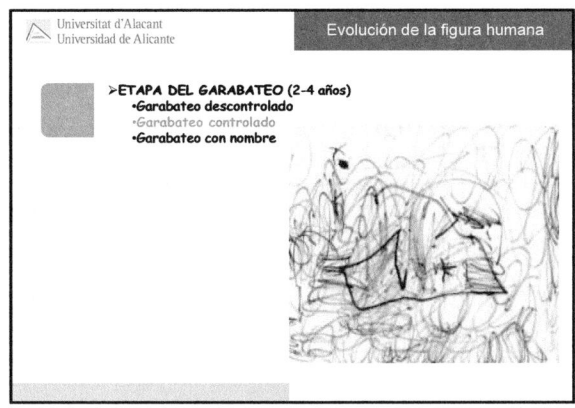

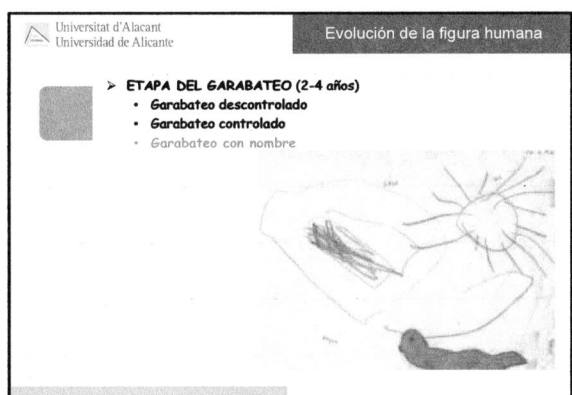

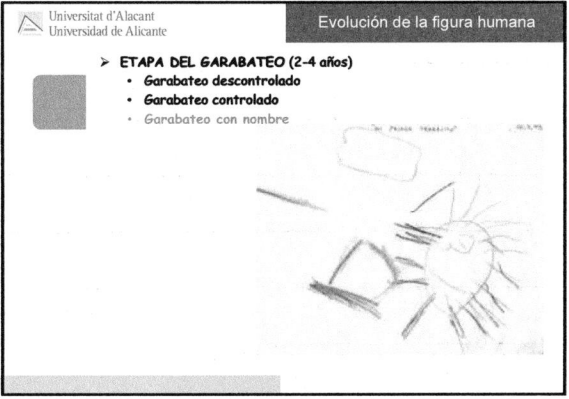

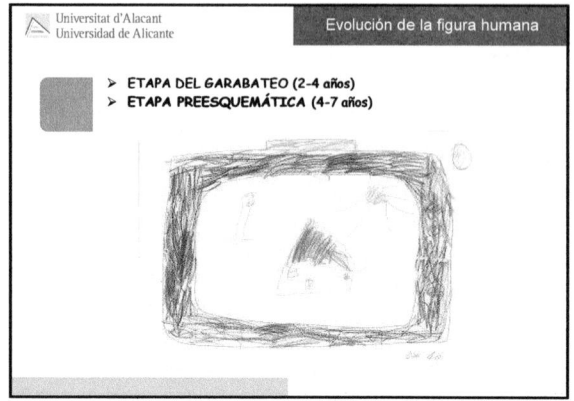

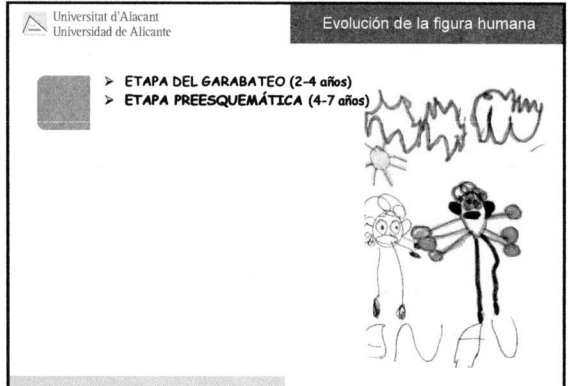

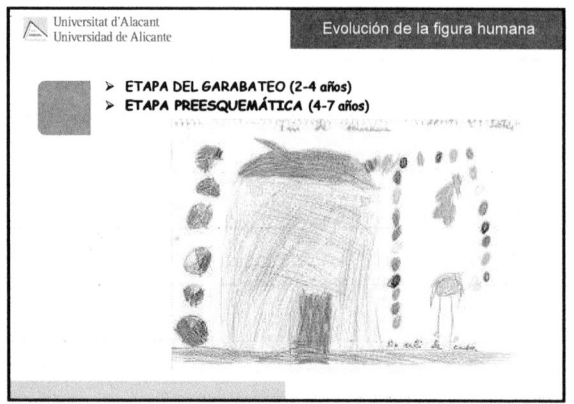

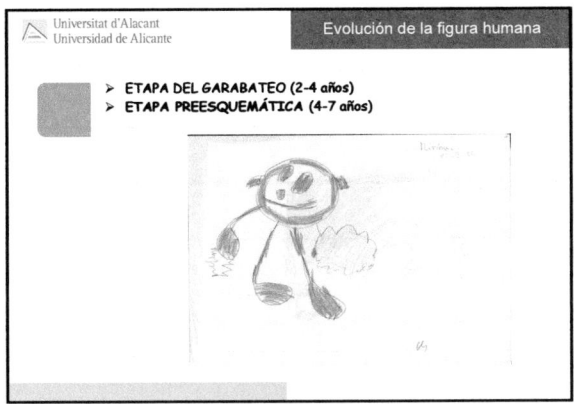

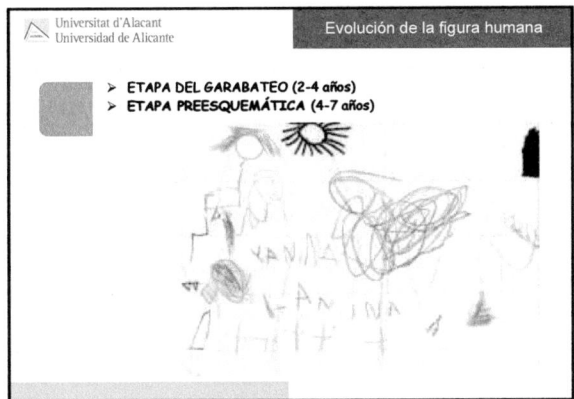

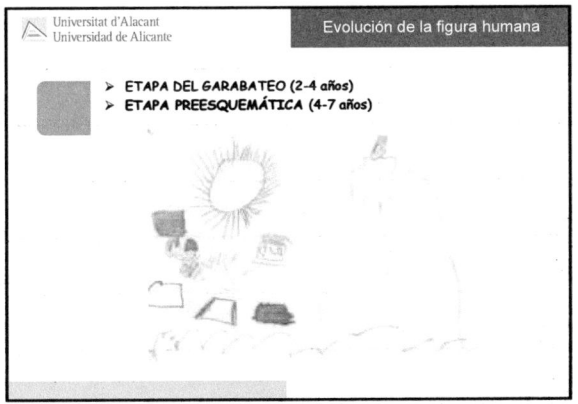

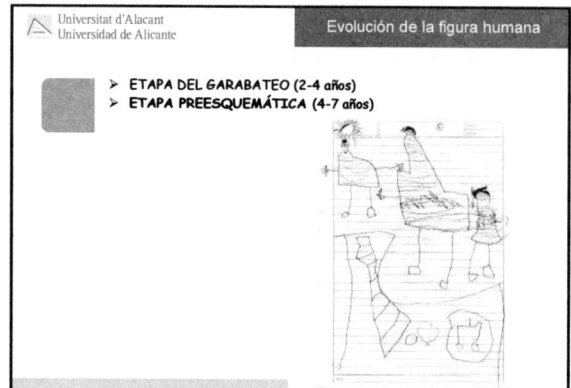

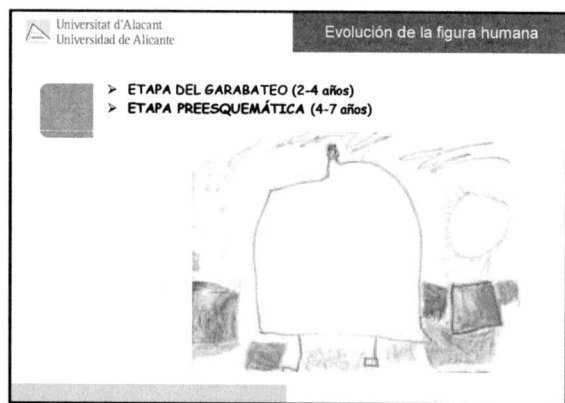

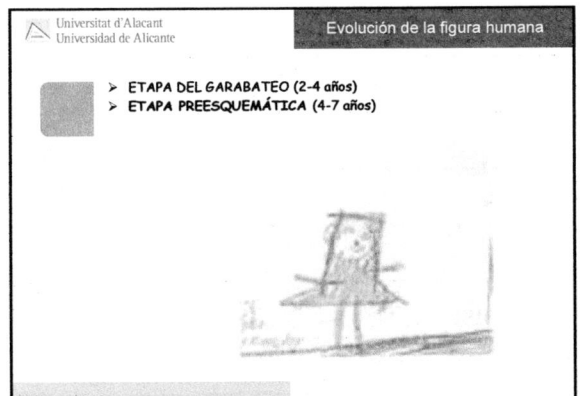

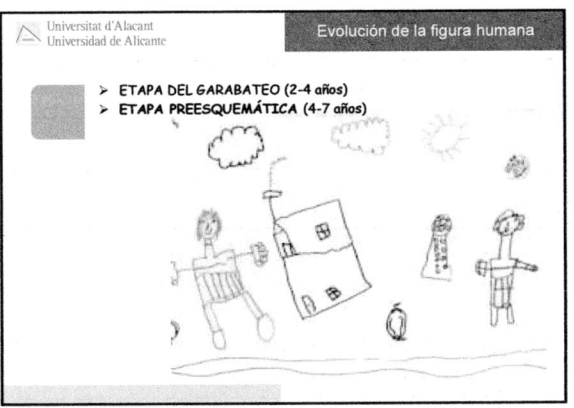

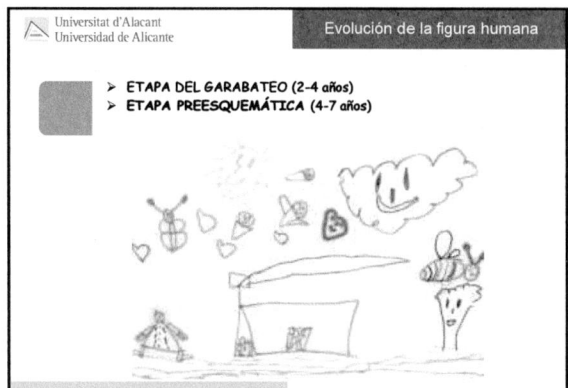

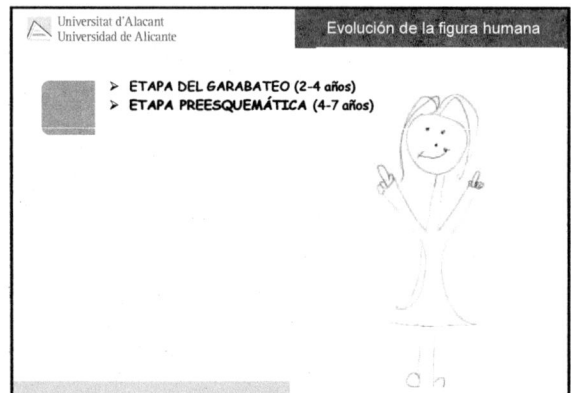

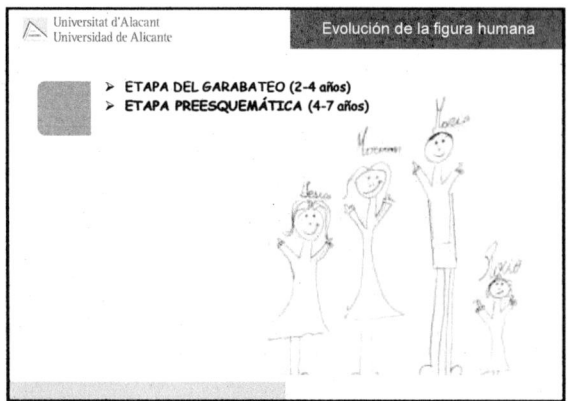

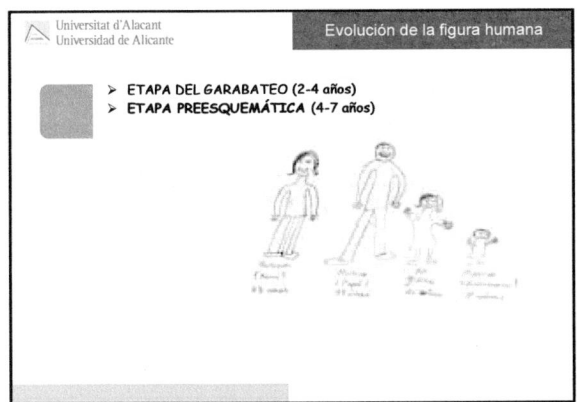

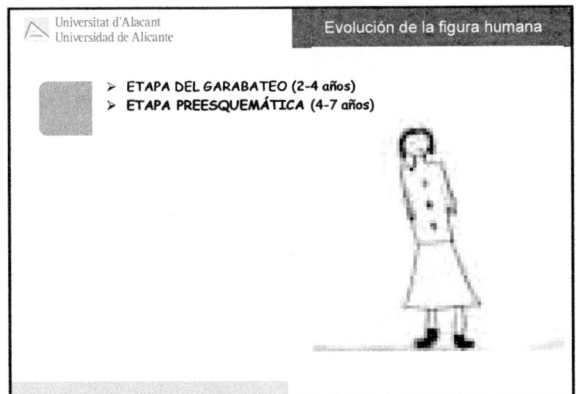

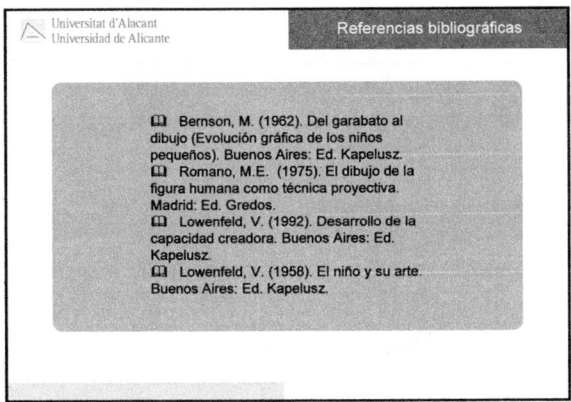

Anexo 7.1.d

**PRÁCTICA 12.**

BLOQUE III: *Conocimiento de la realidad. La observación y exploración del mundo físico, natural y social.*

BLOQUE IV: *Génesis y formación de los principales conceptos.*

Grado de Magisterio Educación Infantil.

Psicología evolutiva de 3 a 6 años

---

**ÍNDICE:**

1. **Justificación legal a través del Decreto 38/2008 del 2.º ciclo de EI**
2. **Talleres realizados en Educación Infantil**
3. **Estructura de los bloques III y IV en el programa de la asignatura**
   - Observación y experimentación
   - Desarrollo de la creatividad
   - Evolución y desarrollo del juego
   - Evolución en la adquisición de conceptos
   - Conceptos básicos a construir

4. **Exposición de talleres para desarrollar las exposiciones en grupos**
   - Experimentación: el laboratorio del tío Sócrates
   - Desarrollo de la creatividad: test de Torrance
   - Elaboración y puesta en práctica de un juego: el juego del dinosaurio (nociones matemáticas)

---

1. Justificación legal Decreto 38/2008, 2.º ciclo EI

Objetivos del ciclo:

*b) Observar y explorar su entorno familiar, natural y social.*

Área:

*II) Medio físico, natural, social y cultural.*

Objetivos de área:

*5. Explorar y observar su entorno familiar, social y natural para la planificación y la ordenación de su acción en función de la información recibida o percibida.*

*7. Valorar la importancia del medio físico, natural, social y cultural mediante la manifestación de actitudes de respeto y la intervención en su cuidado según sus posibilidades.*

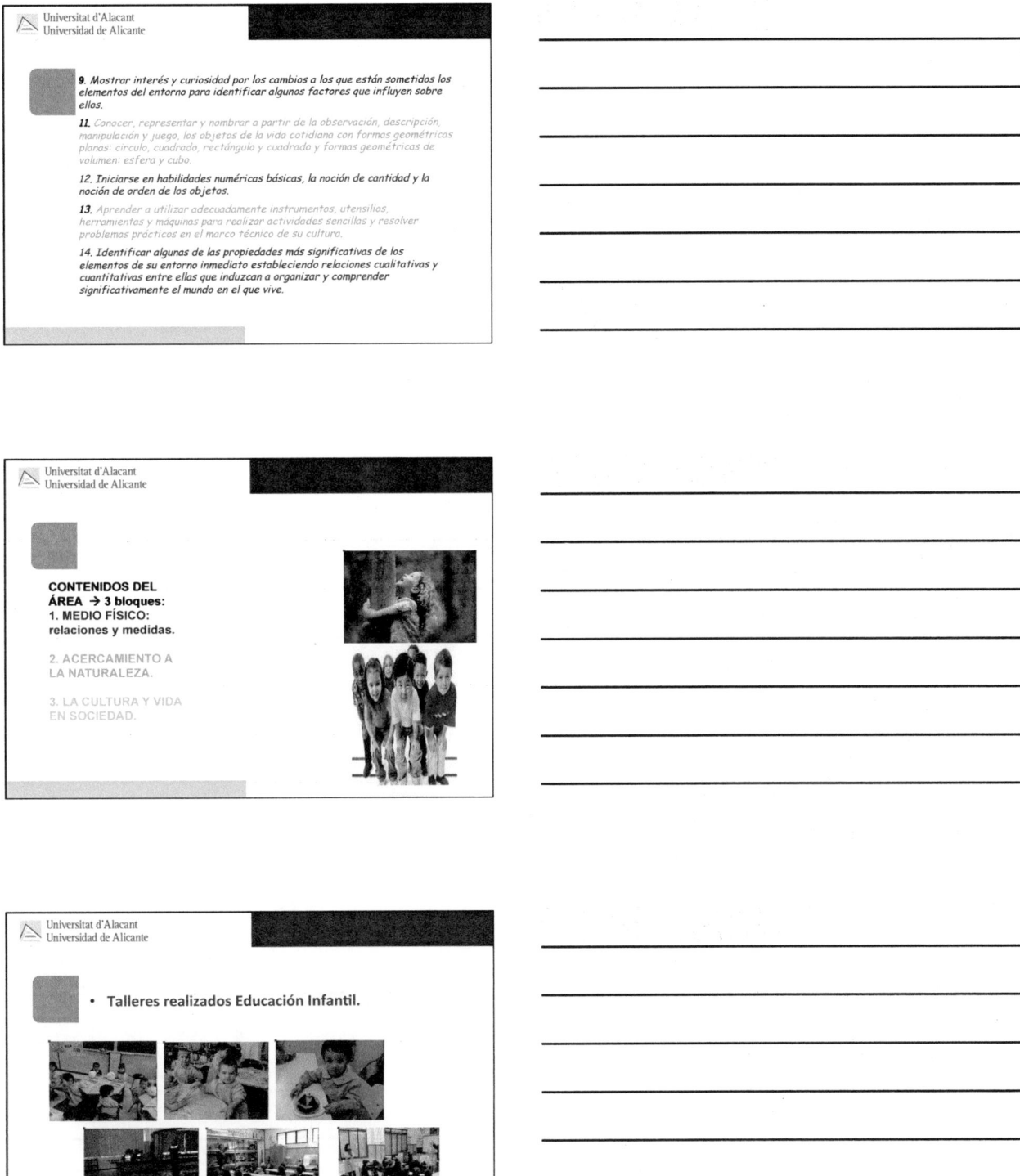

Universitat d'Alacant
Universidad de Alicante

**9.** Mostrar interés y curiosidad por los cambios a los que están sometidos los elementos del entorno para identificar algunos factores que influyen sobre ellos.

*11.* Conocer, representar y nombrar a partir de la observación, descripción, manipulación y juego, los objetos de la vida cotidiana con formas geométricas planas: círculo, cuadrado, rectángulo y cuadrado y formas geométricas de volumen: esfera y cubo.

*12.* Iniciarse en habilidades numéricas básicas, la noción de cantidad y la noción de orden de los objetos.

*13.* Aprender a utilizar adecuadamente instrumentos, utensilios, herramientas y máquinas para realizar actividades sencillas y resolver problemas prácticos en el marco técnico de su cultura.

*14.* Identificar algunas de las propiedades más significativas de los elementos de su entorno inmediato estableciendo relaciones cualitativas y cuantitativas entre ellas que induzcan a organizar y comprender significativamente el mundo en el que vive.

---

Universitat d'Alacant
Universidad de Alicante

**CONTENIDOS DEL ÁREA → 3 bloques:**
**1. MEDIO FÍSICO:**
**relaciones y medidas.**

**2. ACERCAMIENTO A LA NATURALEZA.**

**3. LA CULTURA Y VIDA EN SOCIEDAD.**

---

Universitat d'Alacant
Universidad de Alicante

- **Talleres realizados Educación Infantil.**

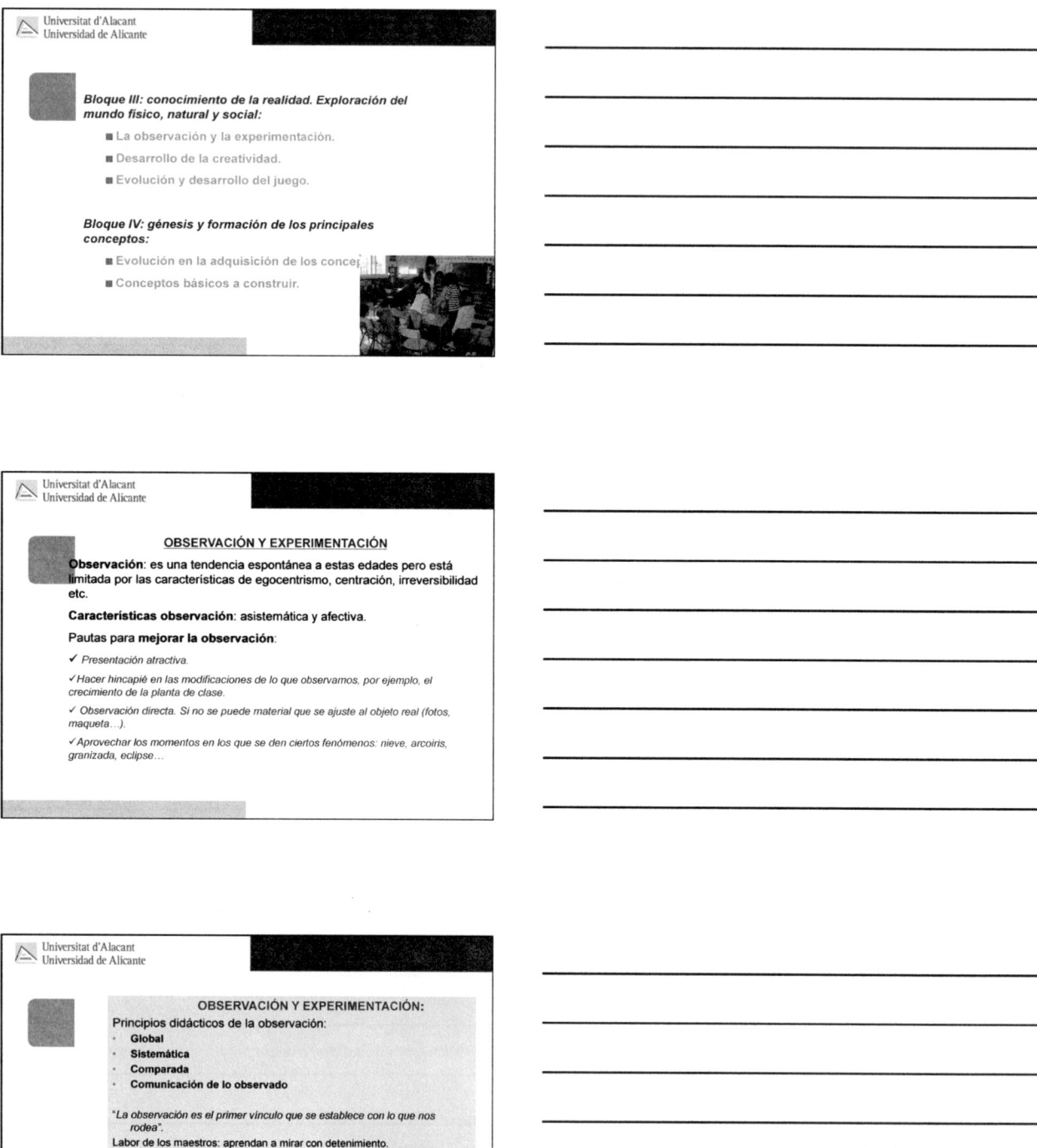

Universitat d'Alacant
Universidad de Alicante

**Bloque III: conocimiento de la realidad. Exploración del mundo físico, natural y social:**
- La observación y la experimentación.
- Desarrollo de la creatividad.
- Evolución y desarrollo del juego.

**Bloque IV: génesis y formación de los principales conceptos:**
- Evolución en la adquisición de los concep
- Conceptos básicos a construir.

Universitat d'Alacant
Universidad de Alicante

**OBSERVACIÓN Y EXPERIMENTACIÓN**

**Observación:** es una tendencia espontánea a estas edades pero está limitada por las características de egocentrismo, centración, irreversibilidad etc.

**Características observación:** asistemática y afectiva.

**Pautas para mejorar la observación:**
- ✔ Presentación atractiva.
- ✔ Hacer hincapié en las modificaciones de lo que observamos, por ejemplo, el crecimiento de la planta de clase.
- ✔ Observación directa. Si no se puede material que se ajuste al objeto real (fotos, maqueta…).
- ✔ Aprovechar los momentos en los que se den ciertos fenómenos: nieve, arcoiris, granizada, eclipse…

Universitat d'Alacant
Universidad de Alicante

**OBSERVACIÓN Y EXPERIMENTACIÓN:**
Principios didácticos de la observación:
- Global
- Sistemática
- Comparada
- Comunicación de lo observado

"La observación es el primer vínculo que se establece con lo que nos rodea".
Labor de los maestros: aprendan a mirar con detenimiento.

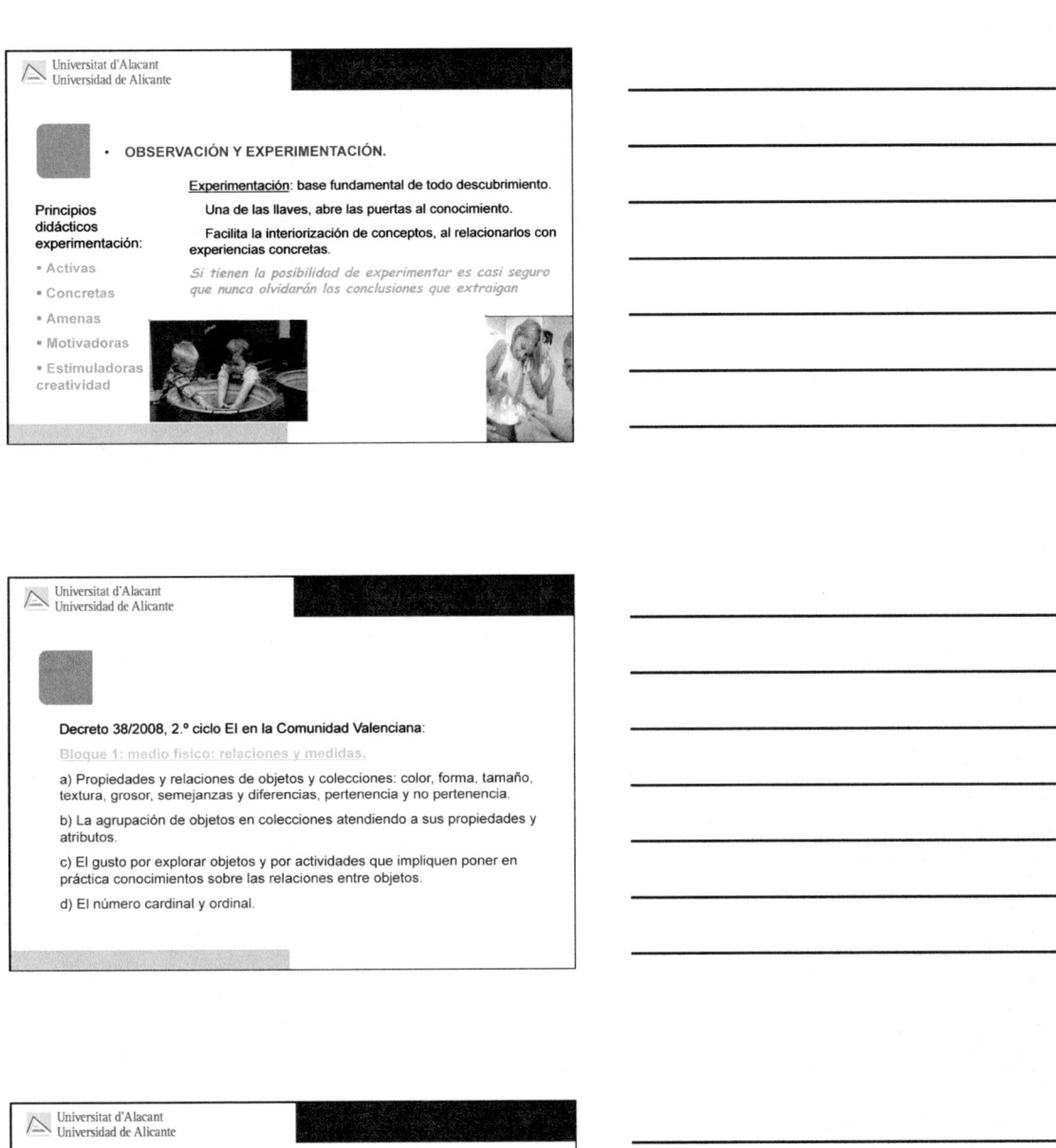

Universitat d'Alacant
Universidad de Alicante

- OBSERVACIÓN Y EXPERIMENTACIÓN.

Experimentación: base fundamental de todo descubrimiento.

Una de las llaves, abre las puertas al conocimiento.

Principios
didácticos
experimentación:

Facilita la interiorización de conceptos, al relacionarlos con experiencias concretas.

- Activas

*Si tienen la posibilidad de experimentar es casi seguro que nunca olvidarán las conclusiones que extraigan*

- Concretas
- Amenas
- Motivadoras
- Estimuladoras creatividad

---

Universitat d'Alacant
Universidad de Alicante

Decreto 38/2008, 2.º ciclo EI en la Comunidad Valenciana:

Bloque 1: medio físico: relaciones y medidas.

a) Propiedades y relaciones de objetos y colecciones: color, forma, tamaño, textura, grosor, semejanzas y diferencias, pertenencia y no pertenencia.

b) La agrupación de objetos en colecciones atendiendo a sus propiedades y atributos.

c) El gusto por explorar objetos y por actividades que impliquen poner en práctica conocimientos sobre las relaciones entre objetos.

d) El número cardinal y ordinal.

---

Universitat d'Alacant
Universidad de Alicante

e) Construcción de la serie numérica mediante la adición de la unidad.

f) La representación gráfica de colecciones de objetos mediante el número cardinal. La utilización de la serie numérica para contar elementos de la realidad cotidiana.

g) La resolución de problemas que impliquen la aplicación de sencillas operaciones.

h) El descubrimiento de las nociones básicas de medida: longitud, tamaño, capacidad, peso y tiempo.

i) La estimación de la duración de ciertas rutinas de la vida cotidiana en relación con las unidades de tiempo.

j) El conocimiento de formas geométricas planas y de cuerpos geométricos. La adquisición de nociones básicas de orientación y situación en el espacio.

Universitat d'Alacant
Universidad de Alicante

Bloque 2: El acercamiento a la naturaleza.

a) El conocimiento de las características generales de los seres vivos y materia inerte: semejanzas y diferencias.

b) La observación de los fenómenos atmosféricos: causas y consecuencias.

c) La observación y exploración de animales y plantas de su entorno.

d) La toma de conciencia de los cambios que se producen en los seres vivos. Aproximación al ciclo vital.

e) El desarrollo de la curiosidad, desarrollo y respeto hacia los animales y plantas como primeras actitudes para la conservación del medio natural.

Universitat d'Alacant
Universidad de Alicante

f) La identificación de distintos tipos de paisaje: paisaje rural y paisaje urbano.

g) La experimentación y el descubrimiento de la utilidad y aprovechamiento de animales, plantas y recursos naturales por parte de la sociedad y de los propios niños.

h) La exploración y conocimiento de las interacciones y relaciones entre animales, animales y plantas y entre seres vivos y su entorno.

i) El disfrute al realizar actividades en contacto con la naturaleza.

Universitat d'Alacant
Universidad de Alicante

Bloque 3: la cultura y la vida en sociedad.

a) La percepción de los primeros grupos sociales de pertenencia.

b) La toma de conciencia de la necesidad de los grupos sociales y de su funcionamiento interno. Las relaciones afectivas que se establecen entre ellos.

c) La valoración y el respeto de las normas que rigen la convivencia en los grupos sociales a los que pertenecen.

d) El descubrimiento de las diferentes formas de organización humana según su ubicación en los distintos paisajes: rural y urbano.

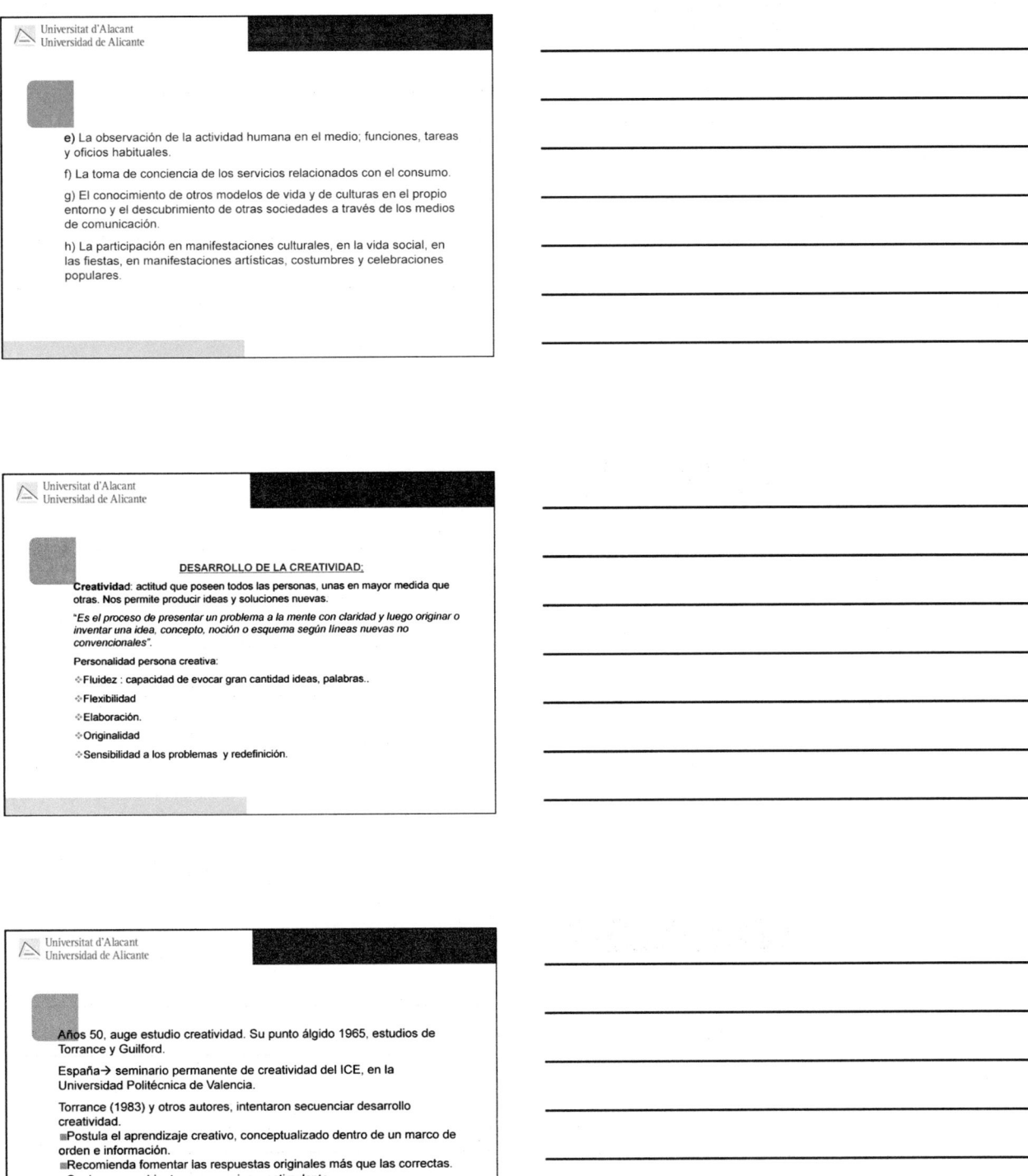

Universitat d'Alacant
Universidad de Alicante

**e)** La observación de la actividad humana en el medio; funciones, tareas y oficios habituales.

**f)** La toma de conciencia de los servicios relacionados con el consumo.

**g)** El conocimiento de otros modelos de vida y de culturas en el propio entorno y el descubrimiento de otras sociedades a través de los medios de comunicación.

**h)** La participación en manifestaciones culturales, en la vida social, en las fiestas, en manifestaciones artísticas, costumbres y celebraciones populares.

---

Universitat d'Alacant
Universidad de Alicante

**DESARROLLO DE LA CREATIVIDAD:**

**Creatividad:** actitud que poseen todos las personas, unas en mayor medida que otras. Nos permite producir ideas y soluciones nuevas.

*"Es el proceso de presentar un problema a la mente con claridad y luego originar o inventar una idea, concepto, noción o esquema según líneas nuevas no convencionales".*

Personalidad persona creativa:

✧ Fluidez : capacidad de evocar gran cantidad ideas, palabras..

✧ Flexibilidad

✧ Elaboración.

✧ Originalidad

✧ Sensibilidad a los problemas y redefinición.

---

Universitat d'Alacant
Universidad de Alicante

**Años** 50, auge estudio creatividad. Su punto álgido 1965, estudios de Torrance y Guilford.

España→ seminario permanente de creatividad del ICE, en la Universidad Politécnica de Valencia.

Torrance (1983) y otros autores, intentaron secuenciar desarrollo creatividad.

■ Postula el aprendizaje creativo, conceptualizado dentro de un marco de orden e información.

■ Recomienda fomentar las respuestas originales más que las correctas.

■ Sugiere un ambiente comprensivo y estimulante.

■ Propone un trato igualitario para niños y niñas.

■ Recomienda un marco de disciplina y de trabajo.

Universitat d'Alacant
Universidad de Alicante

El juego infantil desarrolla la creatividad de los niños:
- Enanos y gigantes.
- Diálogos detrás de la cortina.
- Dibujos sobre 5 puntos.
- Una palabra, mil historias.
- Figuras de lana.
- Creación de objetos
- Inventa tu figura.
- ¿Qué sucedió?
- Ensalada de palabras
- Etc.

Universitat d'Alacant
Universidad de Alicante

EVOLUCIÓN Y DESARROLLO DEL JUEGO:
- Favorece el desarrollo integral niño.
- Justificación:
  - Legislativa: Real Decreto 1630/2006, EEMM y Declaración de los derechos del niño.
  - Teórica: socioconstructuvismo, se relaciona juego y desarrollo.
- Ventajas:
  - Método que es motivador en sí mismo.
  - Recurso didáctico.
  - Motor de aprendizaje, estimula la acción, la reflexión, el lenguaje.

Universitat d'Alacant
Universidad de Alicante

El juego favorece el desarrollo:
Afectivo y social
Cognitivo
Motor

Universitat d'Alacant
Universidad de Alicante

**EXPOSICIONES BLOQUES III y IV:**

Abanico de temas:

❖ Talleres de experimentación: conocimiento del medio (ciclo de la vida, agua…), cocina, seguridad vial, primeros auxilios…

❖ Talleres desarrollo creatividad. Torrance u otros.

❖ Juegos favorecer el pensamiento lógico-matemático, lingüístico etc.

Procedimiento:

Trabajo escrito por cada grupo de trabajo. En la portada, nombre de todos los componentes del grupo.

Exposición en clase. Tiempo: 15 minutos. Deberán participar todas los componentes del grupo. Presentación Power Point.

Grabación en video de los experimentos. Traerlo en un USB para poder verlo en clase.

ANEXO 8.2. Fichas de actividades lectoescritura

Ficha 1

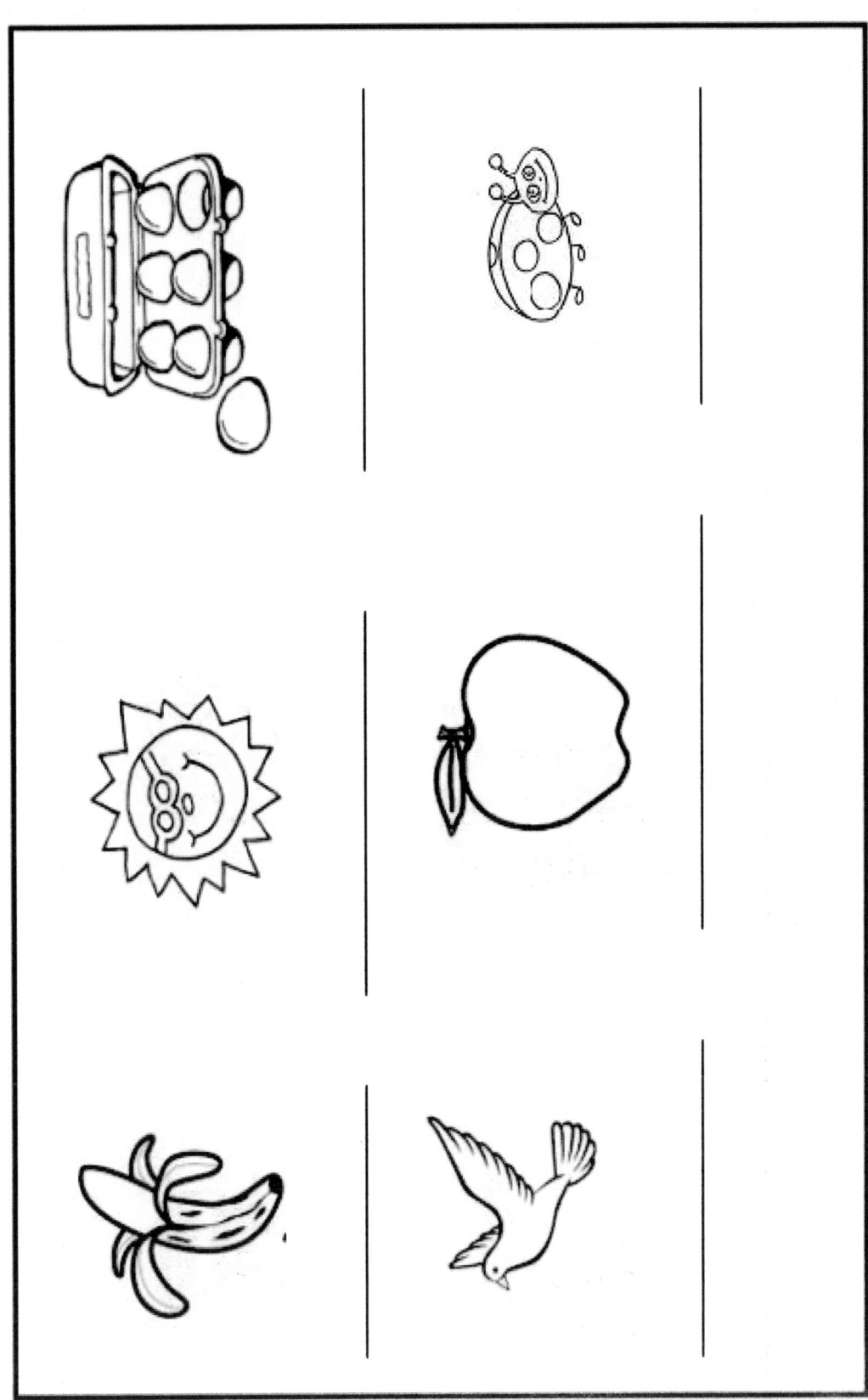

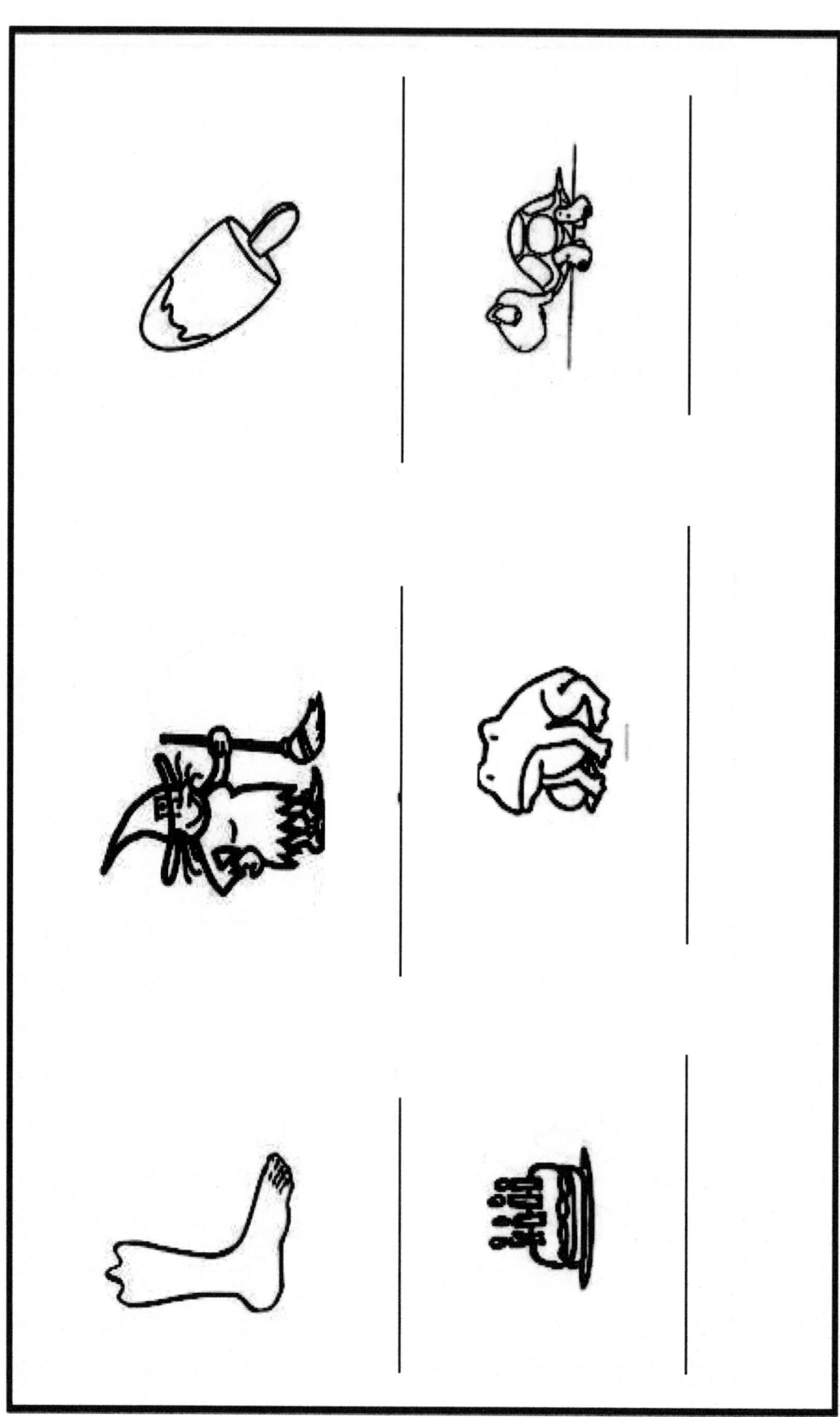

Ficha 3

Ficha 4

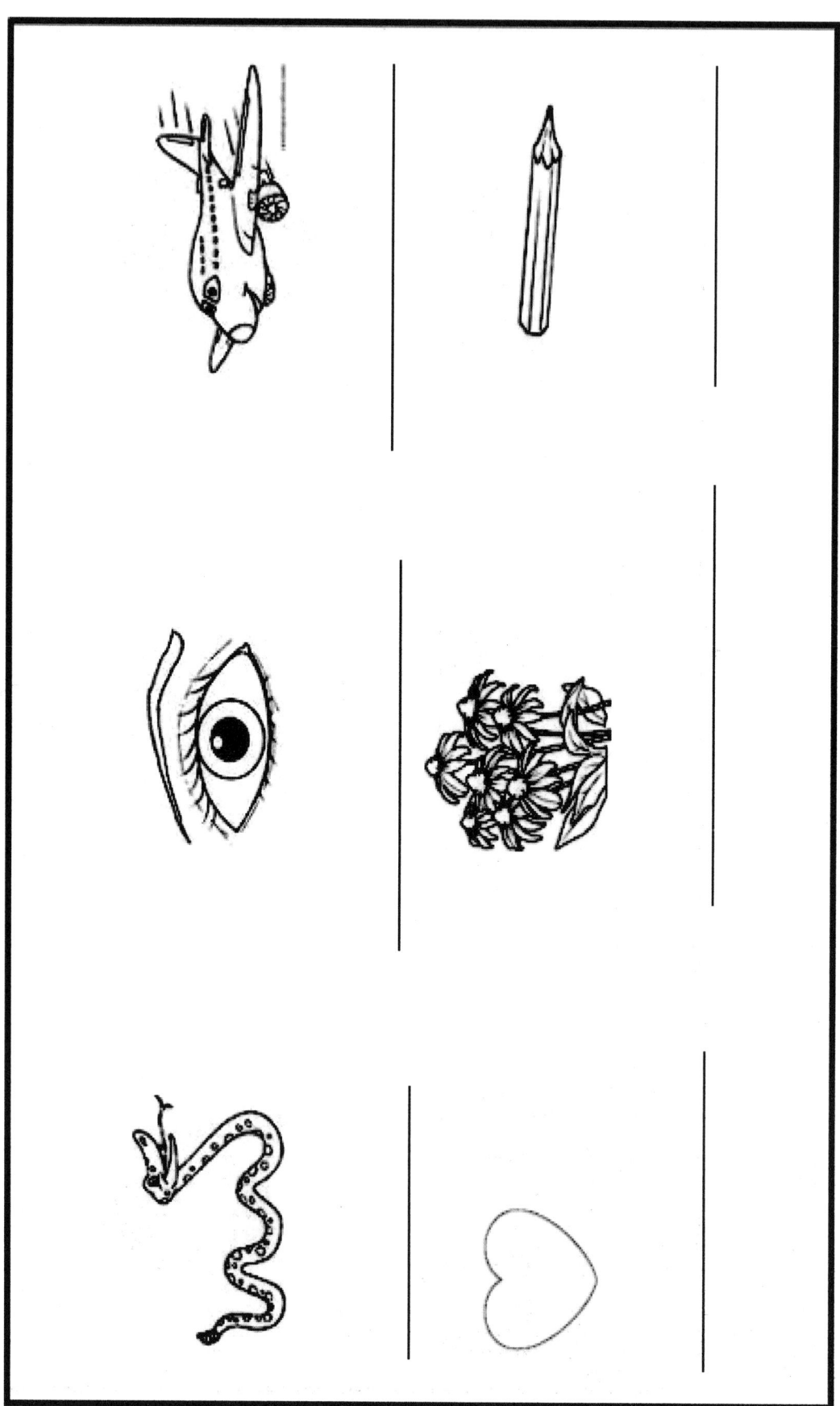

Ficha 5

Ficha 6

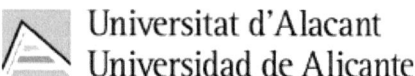
Universitat d'Alacant
Universidad de Alicante

## ANEXO 8.3. a. ENCUESTA SOBRE EL USO DE LAS TECNOLOGÍAS DE LA INFORMACIÓN Y COMUNICACIÓN EN LA INFANCIA (Docentes)

La siguiente encuesta tiene como objetivo conocer el uso y la percepción de las TIC por parte de los docentes de infantil y primaria. Por favor, complete los espacios en blanco o marque la opción que mejor describa sus percepciones ante el uso de las TIC.

Sexo: ............. Edad: ................ Años de docencia: ...................
Localidad:...................................

**Tipo de centro:**

O   público

O   privado-concertado

O   privado

O   de titularidad municipal

**Nivel educativo en el que impartes docencia:**

O   Infantil

O   1.er ciclo de Primaria

O   2.º ciclo de Primaria

O   3.º ciclo de Primaria

**¿Dónde impartes docencia?**

O Tutor/a

O Educación Física

O Educación Musical

O Idiomas (francés, inglés, etc.)

O Pedagogía Terapéutica/Audición y Lenguaje

O Religión

Cargo en el centro

O   Tutor

O   Coordinador TIC

O   Jefe de estudios o coordinador

O   Director

O   Otros cargos:_____

**N.º de alumnos por aula : ...............**

**Metodología empleada en tu aula:**

1. Libro/cuadernillo

2. Por proyectos

3. Talleres/rincones

4. Otros. Indíquelo:

_____

_____

_____

1. **Indique el número de años que hace que usa el ordenador de manera habitual para su estudio o trabajo.**

   _____

2. **Indique el número de años que hace que usa el ordenador de manera habitual para su ocio personal.**

   _____

3. **¿Cuánto tiempo utiliza el ordenador (mesa y portátil)? Señale con una X.**

   Días por semana:     1        2        3        4        5      6      7

   Minutos al día: _____minutos.

4. **¿Cuándo considera que deberían de incorporarse el uso sistemático y continuado de las TIC en las dinámicas del aula para el aprendizaje de los niños?**

   **(Señale con una X la opción que considere más adecuada).**

   Desde 0-3 años

   Desde 3-6 años

   Desde primaria (6-12 años)

   Desde secundaria (a partir de los 12 años)

5. **Señale con qué recursos TIC cuenta el centro para utilizar en el proceso de enseñanza-aprendizaje**

   TV

   Ordenadores en el aula

   Ordenadores en el aula de informática

   Portátiles/tablet PC

   Vídeo/proyector

   PDI (Pizarra Digital Interactiva)

   Internet

   Cámara fotográfica/vídeo

   Software/programas interactivos

**Otros, indique cuáles:** _____

**Siguiendo la escala de valoración que se indica a continuación <u>señale con un círculo</u> la opción que mejor describa su frecuencia sobre el uso de las TIC.**

| 1= nunca | 2= pocas veces | 3= algunas veces | 4= bastantes veces | 5= siempre |
|----------|----------------|------------------|--------------------|------------|

**6. Indique de las siguientes cuestiones en qué medida considera cada aspecto:**

| | | | | | |
|---|---|---|---|---|---|
| Uso las TIC y/o medios digitales en mi práctica pedagógica | 1 | 2 | 3 | 4 | 5 |
| Utilizo la TV/ vídeo para el desarrollo de mis clases | 1 | 2 | 3 | 4 | 5 |
| Utilizo los ordenadores en el aula | 1 | 2 | 3 | 4 | 5 |
| Utilizo la sala de ordenadores para el desarrollo de mis clases | 1 | 2 | 3 | 4 | 5 |
| Utilizo los portátiles en el aula | 1 | 2 | 3 | 4 | 5 |
| Utilizo la PDI en el desarrollo de mis clases | 1 | 2 | 3 | 4 | 5 |
| Uso Internet para mis actividades de aula | 1 | 2 | 3 | 4 | 5 |
| Uso cámara fotográfica/video como material de apoyo en el aula | 1 | 2 | 3 | 4 | 5 |
| Desarrollo actividades en el aula a través del programas educativos o *software* | 1 | 2 | 3 | 4 | 5 |
| Utilizo las TIC para tareas administrativas de centro y/o aula | 1 | 2 | 3 | 4 | 5 |
| Utilizo las TIC para comunicarme con las familias | 1 | 2 | 3 | 4 | 5 |
| Utilizo las TIC para comunicarme con otros docentes | 1 | 2 | 3 | 4 | 5 |
| Utilizo las TIC para comunicarme con otros centros o instituciones | 1 | 2 | 3 | 4 | 5 |

**7. Indique la frecuencia en la utiliza el ordenador para las tareas siguientes:**

| | | | | | |
|---|---|---|---|---|---|
| Formación y perfeccionamiento | 1 | 2 | 3 | 4 | 5 |
| Edición de documentos | 1 | 2 | 3 | 4 | 5 |
| Enseñanza en el aula | 1 | 2 | 3 | 4 | 5 |
| Comunicación con otras personas | 1 | 2 | 3 | 4 | 5 |

**Otros, indique cuáles:**_____

**8. Indique la frecuencia con la que utiliza las TIC en el aula.**

- Diaria
- Semanal
- Mensual
- Trimestral
- No las utilizo

**9. Las dificultades que encuentra para incorporar las TIC a su trabajo diario se deben a:**

| | | | | | |
|---|---|---|---|---|---|
| Falta de preparación | 1 | 2 | 3 | 4 | 5 |
| Incremento del tiempo de dedicación | 1 | 2 | 3 | 4 | 5 |
| Escasa disponibilidad de equipos informáticos en el centro | 1 | 2 | 3 | 4 | 5 |
| Escasa disponibilidad de equipos informáticos en los hogares | 1 | 2 | 3 | 4 | 5 |
| Poca aceptación de la metodología en las familias | 1 | 2 | 3 | 4 | 5 |
| Escasez de materiales didácticos | 1 | 2 | 3 | 4 | 5 |
| Poca adaptación de los materiales al currículo | 1 | 2 | 3 | 4 | 5 |

**Siguiendo la escala de valoración que se indica a continuación <u>señale con un círculo</u> la opción que mejor describa su percepción sobre el uso de las TIC.**

| 1 = nada | 2 = poco | 3 = algo | 4 = bastante | 5 = mucho |
|---|---|---|---|---|

**10. Valore en qué medida las características de las TIC que se mencionan a continuación pueden favorecer los procesos de enseñanza-aprendizaje.**

| | | | | | |
|---|---|---|---|---|---|
| Interactividad | 1 | 2 | 3 | 4 | 5 |
| Individualización de la enseñanza | 1 | 2 | 3 | 4 | 5 |
| Variedad de códigos de información (texto, sonido, imágenes, etc.) | 1 | 2 | 3 | 4 | 5 |
| Aprendizaje cooperativo | 1 | 2 | 3 | 4 | 5 |
| Aprendizaje autónomo | 1 | 2 | 3 | 4 | 5 |
| Alta motivación | 1 | 2 | 3 | 4 | 5 |
| Facilidad de uso | 1 | 2 | 3 | 4 | 5 |
| Flexibilidad para actualizar la información | 1 | 2 | 3 | 4 | 5 |

**11. De las siguientes afirmaciones, indique el <u>grado de acuerdo</u> que tiene de cada una de ellas.**

| | | | | | |
|---|---|---|---|---|---|
| Las TIC no son un recurso muy adecuado para el aprendizaje de niño. | 1 | 2 | 3 | 4 | 5 |
| Las TIC son un recurso muy adecuado para el disfrute y entretenimiento de los niños. | 1 | 2 | 3 | 4 | 5 |
| Las TIC no favorecen el desarrollo integral del niño. | 1 | 2 | 3 | 4 | 5 |
| Las TIC van a generar cambios en la manera de relacionarse los niñosen un futuro. | 1 | 2 | 3 | 4 | 5 |
| Las TIC son necesarias para el futuro académico y laboral del niño. | 1 | 2 | 3 | 4 | 5 |
| Las TIC no son necesarias para que los niños se integren plenamente en la sociedad. | 1 | 2 | 3 | 4 | 5 |

**12. En qué medida considera que las TIC favorecen o pueden ayudar al desarrollo del niño en las siguientes áreas:**

| | | | | | |
|---|---|---|---|---|---|
| Física | 1 | 2 | 3 | 4 | 5 |
| Intelectual | 1 | 2 | 3 | 4 | 5 |
| Afectivo, emocional | 1 | 2 | 3 | 4 | 5 |
| Social, de relación | 1 | 2 | 3 | 4 | 5 |

**13. Considera que el uso del ordenador es:**

| | | | | | |
|---|---|---|---|---|---|
| Entretenido | 1 | 2 | 3 | 4 | 5 |
| Manejable | 1 | 2 | 3 | 4 | 5 |
| Innecesario | 1 | 2 | 3 | 4 | 5 |
| Agradable | 1 | 2 | 3 | 4 | 5 |
| Eficaz | 1 | 2 | 3 | 4 | 5 |
| Complicado | 1 | 2 | 3 | 4 | 5 |
| Educativo | 1 | 2 | 3 | 4 | 5 |
| Práctico | 1 | 2 | 3 | 4 | 5 |
| Importante | 1 | 2 | 3 | 4 | 5 |
| Perjudicial | 1 | 2 | 3 | 4 | 5 |

**14. En qué medida considera que las tecnologías ayudan en los siguientes aspectos en el aula.**

| 1 = nada | 2 = poco | 3 = algo | 4 = bastante | 5 = mucho |
|---|---|---|---|---|

| | | | | | |
|---|---|---|---|---|---|
| La obtención de materiales didácticos | 1 | 2 | 3 | 4 | 5 |
| La atención a la diversidad | 1 | 2 | 3 | 4 | 5 |
| La comunicación con los padres | 1 | 2 | 3 | 4 | 5 |
| El refuerzo de contenidos básico | 1 | 2 | 3 | 4 | 5 |
| El mantenimiento de la disciplina en el aula | 1 | 2 | 3 | 4 | 5 |
| El tratamiento individualizado de los alumnos. | 1 | 2 | 3 | 4 | 5 |
| La mejora de la atención en la clase | 1 | 2 | 3 | 4 | 5 |
| La motivación de los alumnos por la asignatura | 1 | 2 | 3 | 4 | 5 |
| La interdisciplinariedad | 1 | 2 | 3 | 4 | 5 |

Universitat d'Alacant
Universidad de Alicante

### ANEXO 8.3.b. ENCUESTA SOBRE EL USO DE LAS TECNOLOGÍAS DE LA INFORMACIÓN Y COMUNICACIÓN EN LA INFANCIA (padres)

**<u>Datos personales</u>**

Sexo: ............. Edad: ............... Profesión: ...................................................................

N.º de hijos: ...............

| | | | | |
|---|---|---|---|---|
| HIJO 1: | Chico | Chica | EDAD: | años |
| HIJO 2: | Chico | Chica | EDAD: | años |
| HIJO 3: | Chico | Chica | EDAD: | años |
| HIJO 4: | Chico | Chica | EDAD: | años |
| HIJO 5: | Chico | Chica | EDAD: | años |

**A continuación, encontrará unas cuestiones sobre las preferencias y uso de la televisión, ordenador y videojuegos en sus hogares. Por favor, complete los espacios en blanco o marque la opción que mejor describa su opinión acerca de las Tecnologías de la Información y Comunicación (TIC) y cómo se comporta su hijo (estudia Educación Infantil o Primaria) cuando ve la televisión, o cuando juega con el ordenador o los videojuegos.**

1. **Señale qué recursos tecnológicos cuentan en su hogar (señale con una X):**

    TV

    Ordenador de mesa

    Portátil

    Internet

    Cámara fotográfica/vídeo

    Móvil

    Videojuegos

    Libro digital (iPad)

**Otros, indique cuáles:**_____

2. **¿Cuánto tiempo pasa su hijo viendo la televisión?**

    Días por semana:           1       2       3       4       5       6       7

    Minutos al día: _____ minutos

3. **¿Cuánto tiempo pasa su hijo jugando a los videojuegos?**

    Días por semana:           1       2       3       4       5       6       7

    Minutos al día: _____ minutos

4. **¿Cuánto tiempo pasa su hijo jugando con el ordenador?**

    Días por semana:           1       2       3       4       5       6       7

    Minutos al día: _____ minutos

**5.** **¿Qué programas de televisión suele ver su hijo?**

1._____

2._____

3._____

4._____

5._____


**6.** **¿A qué videojuegos suele jugar su hijo?**

1._____

2._____

3._____

4._____

5._____


**7.** **¿A qué juegos de ordenador (*on-line* o PC) suele jugar su hijo?**

1._____

2._____

3._____

4._____

5._____


**8.** **¿Cuánto tiempo pasa usted viendo la televisión? (señale con una X)**

Días por semana: 1      2      3      4      5      6      7

Minutos al día: _____ minutos

**9.** **¿Con qué frecuencia usa el ordenador (mesa y portátil)? (señale con una X )**

Días por semana:      1          2          3          4          5      6      7

Minutos al día: _____minutos


**10.** **¿Con qué frecuencia juega a videojuegos (consola/ordenador/*on-line*)? (señale con una X)**

Días por semana:          1      2      3      4      5      6      7

Minutos al día: _____ minutos

**11. Siguiendo la escala de valoración que se indica a continuación señale con un círculo la opción que mejor indique la frecuencia con la que suele ver los siguientes tipos de programas en la televisión o en internet.**

| 1= nunca | 2= pocas veces | 3= algunas veces | 4= bastantes veces | 5= siempre |
|---|---|---|---|---|

| | | | | | |
|---|---|---|---|---|---|
| Divulgativo/entretenimiento | 1 | 2 | 3 | 4 | 5 |
| Noticias | 1 | 2 | 3 | 4 | 5 |
| Deportes | 1 | 2 | 3 | 4 | 5 |
| Documentales | 1 | 2 | 3 | 4 | 5 |
| Películas | 1 | 2 | 3 | 4 | 5 |
| Series | 1 | 2 | 3 | 4 | 5 |
| Dibujos | 1 | 2 | 3 | 4 | 5 |

**12. Además del padre/madre ¿quién utiliza habitualmente los videojuegos o el ordenador en la familia? (señale con una X)**

Hermanos mayores

Primos

Tíos

Abuelos

**13. ¿Cuándo considera que deberían incorporarse el uso sistemático y continuado de las TIC en las escuelas para que niños aprendan a utilizarlas? (señale con una X la opción que considere más adecuada).**

Desde 0-3 años

Desde 3-6 años

Desde primaria (6-12 años)

Desde secundaria (a partir de los 12 años)

**14. Siguiendo la escala de valoración que se indica a continuación, señale con un círculo el <u>grado de acuerdo</u> que tiene en cada una de las afirmaciones siguientes.**

| 1 = nada  2 = poco | 3 = algo | 4 = bastante  5 = mucho | | | |
|---|---|---|---|---|---|
| Las TIC no son un recurso muy adecuado para el aprendizaje de los niños. | 1 | 2 | 3 | 4 | 5 |
| Las TIC son un recurso muy adecuado para el disfrute y entretenimiento de los niños. | 1 | 2 | 3 | 4 | 5 |
| Las TIC no favorecen el desarrollo integral de los niños. | 1 | 2 | 3 | 4 | 5 |
| Las TIC van a generar cambios en la manera de relacionarse los niños en un futuro | 1 | 2 | 3 | 4 | 5 |
| Las TIC son necesarias para el futuro académico y laboral del niño | 1 | 2 | 3 | 4 | 5 |
| Las TIC no son necesarias para que los niños se integren plenamente en la sociedad | 1 | 2 | 3 | 4 | 5 |

**15. En qué medida considera que las TIC favorecen o pueden ayudar al desarrollo de su hijo en las siguientes áreas:**

| 1 = nada  2 = poco | 3 = algo | 4 = bastante  5 = mucho | | | |
|---|---|---|---|---|---|
| Física | 1 | 2 | 3 | 4 | 5 |
| Intelectual | 1 | 2 | 3 | 4 | 5 |
| Afectivo, emocional | 1 | 2 | 3 | 4 | 5 |
| Social, de relación | 1 | 2 | 3 | 4 | 5 |

**16. Considera que el uso del ordenador es:**

| 1 = nada  2 = poco | 3 = algo | 4 = bastante  5 = mucho | | | |
|---|---|---|---|---|---|
| Entretenido | 1 | 2 | 3 | 4 | 5 |
| Manejable | 1 | 2 | 3 | 4 | 5 |
| Innecesario | 1 | 2 | 3 | 4 | 5 |
| Agradable | 1 | 2 | 3 | 4 | 5 |
| Eficaz | 1 | 2 | 3 | 4 | 5 |
| Complicado | 1 | 2 | 3 | 4 | 5 |
| Educativo | 1 | 2 | 3 | 4 | 5 |
| Práctico | 1 | 2 | 3 | 4 | 5 |
| Importante | 1 | 2 | 3 | 4 | 5 |
| Perjudicial | 1 | 2 | 3 | 4 | 5 |

**17. Siguiendo la escala de valoración que se indica a continuación señale con un círculo la opción que mejor describa el comportamiento de su hijo y el clima familiar.**

| 1= nunca  2= pocas veces | 3= algunas veces | | 4= bastantes veces | 5= siempre |
|---|---|---|---|---|

| | | | | | |
|---|---|---|---|---|---|
| Su hijo se ha acostado más tarde o ha dormido menos horas por jugar a los videojuegos | 1 | 2 | 3 | 4 | 5 |
| Ha habido discusiones en la familia porque su hijo juega demasiado a la videoconsola/ ordenador | 1 | 2 | 3 | 4 | 5 |
| Su hijo dedica menos tiempo a hacer otras actividades porque juega al ordenador/ videoconsola | 1 | 2 | 3 | 4 | 5 |
| La comunicación familiar ha disminuido por ver la televisión o utilizar el ordenador en casa | 1 | 2 | 3 | 4 | 5 |
| Su hijo ha llegado a mentirle a usted o a su marido/mujer sobre el número de horas que pasa jugando al ordenador/videoconsola | 1 | 2 | 3 | 4 | 5 |
| Juega con su hijo al ordenador/videoconsola | 1 | 2 | 3 | 4 | 5 |
| Su hijo ha llegado a estar más de tres horas seguidas jugando al ordenador/videoconsola | 1 | 2 | 3 | 4 | 5 |
| Se ha establecido en su familia alguna norma sobre el número de horas para ver la televisión o jugar a videojuegos en casa | 1 | 2 | 3 | 4 | 5 |

# ANEXO 8.4. PROTOCOLO DE OBSERVACIÓN ESTILOS DE TRABAJO

ALUMNO/A: _____  SEXO: _____  EDAD: _____  CURSO: _____

ACTIVIDAD: _____  FECHA: _____

**Trata de valorar hasta qué punto las categorías describen, de forma objetiva, la conducta del/de la alumno/a. Incluye comentarios y anécdotas sobre el estilo de trabajo del/de la alumno/a, cuando sea posible.**

| | NUNCA | A VECES | CASI SIEMPRE | SIEMPRE |
|---|---|---|---|---|
| – Dispuesto a engancharse a la actividad | 1 | 2 | 3 | 4 |
| – Seguro | 1 | 2 | 3 | 4 |
| – Alegre/juguetón | 1 | 2 | 3 | 4 |
| – Atento | 1 | 2 | 3 | 4 |
| – Persistente | 1 | 2 | 3 | 4 |
| – Reflexivo | 1 | 2 | 3 | 4 |
| – Trabaja rápidamente | 1 | 2 | 3 | 4 |
| – Hablador | 1 | 2 | 3 | 4 |
| – Muestra una planificación cuidadosa y estructurada al realizar las actividades | 1 | 2 | 3 | 4 |
| – Aporta a la actividad sus cualidades destacadas | 1 | 2 | 3 | 4 |
| – Utiliza los materiales de manera imprevista (no convencional) | 1 | 2 | 3 | 4 |
| – Se muestra orgulloso con lo realizado | 1 | 2 | 3 | 4 |
| – Atiende a los detalles, es observador | 1 | 2 | 3 | 4 |
| – Es curioso/a con los materiales | 1 | 2 | 3 | 4 |
| – Se muestra preocupado/a con la respuesta "correcta", con el resultado | 1 | 2 | 3 | 4 |
| – Se centra en la interacción con los compañeros-amigos mientras juega | 1 | 2 | 3 | 4 |

**COMENTARIOS / OBSERVACIONES** _____

## ANEXO 8.5. FICHA OBSERVACIÓN DE ACTIVIDAD

| | |
|---|---|
| **DATOS PERSONALES DEL ALUMNO** | • Nombre:<br>• Edad:<br>• Sexo: |
| **VARIABLES DEL CONTEXTO FAMILIAR** (nivel socioeconómico, características familiares relevantes…) | |
| VARIABLES PERSONALES **(PROTOCOLO DE OBSERVACIÓN DE ESTILOS DE TRABAJO)** | |
| **DESARROLLO DE LA ACTIVIDAD** (¿cómo se realizó la actividad? Lugar, tiempo… | |
| **OTRAS OBSERVACIONES** | |

**Anexo 8.6.a Práctica 11: ESTIMULACIÓN DEL LENGUAJE ORAL: datos de observación del niño.**

| NOMBRE DEL NIÑO | EDAD | CURSO | NÚMERO DE HERMANOS Y POSICIÓN QUE OCUPA | NIVEL SOCIO-ECONÓMICO | ACTITUD DEL NIÑO | IMPLICACIÓN EN LAS ACTIVIDADES | OTROS DATOS RELEVANTES |
|---|---|---|---|---|---|---|---|
| 1- | | | | | | | |
| 2- | | | | | | | |
| 3- | | | | | | | |

## Anexo 8.6.b. Práctica 11: ESTIMULACIÓN DEL LENGUAJE ORAL: relación niños y programa de estimulación lenguaje oral

**NOMBRE DEL NIÑO:** EDAD:

A CONTINUACIÓN, CITA LAS 8 ACTIVIDADES DE ESTIMULACIÓN DEL LENGUAJE ORAL QUE HAS UTILIZADO CON ESTE NIÑO:

ACTIVIDAD 1:
ACTIVIDAD 2:
ACTIVIDAD 3:
ACTIVIDAD 4:

ACTIVIDAD 5:
ACTIVIDAD 6:
ACTIVIDAD 7:
ACTIVIDAD 8:

**NOMBRE DEL NIÑO:** EDAD:

A CONTINUACIÓN, CITA LAS 8 ACTIVIDADES DE ESTIMULACIÓN DEL LENGUAJE ORAL QUE HAS UTILIZADO CON ESTE NIÑO:

ACTIVIDAD 1:
ACTIVIDAD 2:
ACTIVIDAD 3:
ACTIVIDAD 4:

ACTIVIDAD 5:
ACTIVIDAD 6:
ACTIVIDAD 7:
ACTIVIDAD 8:

**NOMBRE DEL NIÑO:** EDAD:

A CONTINUACIÓN, CITA LAS 8 ACTIVIDADES DE ESTIMULACIÓN DEL LENGUAJE ORAL QUE HAS UTILIZADO CON ESTE NIÑO:

ACTIVIDAD 1:
ACTIVIDAD 2:
ACTIVIDAD 3:
ACTIVIDAD 4:

ACTIVIDAD 5:
ACTIVIDAD 6:
ACTIVIDAD 7:
ACTIVIDAD 8:

## Anexo 8.7.a. JUEGO 1: JUEGO DEL DINOSAURIO

### *Materiales*

Un tablero de juego con treinta y cinco casillas que se extiende por todo el dorso del dinosaurio. En la casilla n.º14 (contando desde la cabeza) se sitúa la casilla "SALIDA".

Se utilizan dos fichas, una de cada color para cada jugador.

Para los dados, tenemos:

- *Dado numérico.* Este es un dado numerado del 1 al 3; por lo tanto, dos caras tienen el número 1, dos el numero 2 y dos más, el numero 3.
- *Dado 3+/3-.* Este dado tiene tres caras marcadas con el signo (+) y tres caras marcadas con el signo (-).
- *Dado 5+/1-.* Este dado tiene marcadas cinco caras con el signo (+) y una con el signo (-).
- *Dado 5-/1+.* Este dado tiene marcadas cinco caras con el signo (-) y una con el signo (+).

### *Habilidades*

Primera parte:

El niño debe mover su ficha en función de los puntos que le salgan en el dado y hacia delante o hacia atrás, según el signo. Se realizan cinco tiradas más las que se realicen de prueba, que no puntúan.

RAZONAMIENTO NUMÉRICO

*Habilidad de conteo:* con el dado numérico (dos caras con uno, dos caras con dos y dos caras con tres), se realizan cinco tiradas.

RAZONAMIENTO ESPACIAL

*Dirección de movimiento:* con el dado 3+/3-, se realizan cinco tiradas.

Segunda parte:

El niño debe mover su ficha en función de los puntos que le salgan en el dado y hacia delante o hacia atrás, según el signo del dado que ha elegido. Se realizan cinco tiradas.

RAZONAMIENTO LÓGICO

*Elección del dado:* se cogen los dados 5+/1- y 5-/1+ y se le pide al niño que elija uno, preguntándole por qué ha escogido ese. El evaluador deberá coger siempre el dado 5-/1+.

RAZONAMIENTO NUMÉRICO

*Habilidad de conteo:* con el dado numérico (dos caras con uno, dos caras con dos y dos caras con tres), se realizan cinco tiradas.

RAZONAMIENTO ESPACIAL

*Dirección de movimiento:* con el dado elegido de signos, se realizan cinco tiradas.

Tercera parte:

En este apartado se realizan tiradas una vez que se han elegido los dados. El niño debe contestar a las preguntas que le formulemos y elegir dados.

RAZONAMIENTO LÓGICO

*Elección del mejor movimiento:* con el dado 3+/3- y el dado numérico (dos cara con uno, dos caras con dos y dos caras con tres), el niño debe elegir cómo poner los dados para que pueda hacer el mejor movimiento posible con su ficha, aquel movimiento que le permita ganar. Se anota su elección y las razones que da. Se le deja hacer el movimiento elegido.

*Elección del peor movimiento:* con el dado 3+/3- y el dado numérico (dos cara con uno, dos caras con dos y dos caras con tres), el niño debe elegir cómo poner los dados para que la ficha del observador (evaluador) haga el peor movimiento, aquel movimiento que le haga perder. Se anota su elección y las razones que da. El evaluador debe hacer el movimiento elegido por el niño.

*Elección del dado numérico:* el evaluador coge el dado 3+/3- y el niño, el dado numérico (dos cara con uno, dos caras con dos y dos caras con tres). Se procede de la siguiente manera:
- Toca mover la ficha del niño(de forma figurada). El evaluador pone el signo + y el niño debe elegir en el dado numérico aquel que le permita ganar la partida (debe elegir la cara que contenga el número tres). Se mueve la ficha.
- Toca mover la ficha del evaluador (de forma figurada). El evaluador pone el signo -y el niño debe elegir en el dado numérico, aquel que permita al contrario perder la partida (debe elegir la cara que contenga el número uno). Se mueve la ficha.
- Toca mover la ficha del niño (de forma figurada). El evaluador pone el signo - y el niño debe elegir en el dado numérico, aquel que le permita ganar la partida (debe elegir la cara que contenga el número uno). Se mueve la ficha.
- Toca mover la ficha del evaluador (de forma figurada). El evaluador pone el signo + y el niño debe elegir en el dado numérico, aquel que permita al contrario perder la partida (debe elegir la cara que contenga el número uno). Se mueve la ficha.

Reglas del juego:
- Se parte de la casilla de SALIDA (n.º 14).
- No podemos coincidir en la misma casilla del otro jugador porque perdemos un turno.
- No se puede pasar de nuevo por la casilla de SALIDA; nos las saltamos y empezamos a contar en la casilla siguiente.
- Debe quedar claro que si llegan hasta la cabeza hay un turno de espera. Y si llegan al final de la cola, es decir, que se ha terminado el juego, se cuentan diez casillas hacia atrás para continuar la evaluación del juego, en el caso de que no se hubiera terminado de valorar.

## PROTOCOLO DE OBSERVACIÓN DE LA ACTIVIDAD: EL DINOSAURIO
## ALUMNO

| TURNO | DIRECCIÓN DE MOVIMIENTO (razonamiento espacial) | | CONTEO (razonamiento numérico) | | COMENTARIOS Y OBSERVACIONES |
|---|---|---|---|---|---|
| | Correcto | Incorrecto | Correcto | Incorrecto | |
| 1 | | | | | |
| 2 | | | | | |
| 3 | | | | | |
| 4 | | | | | |
| 5 | | | | | |

Dado elegido (Razonamiento lógico):
1. ¿Cuál?_____ 2. ¿Por qué?_____

| TURNO | DIRECCIÓN DE MOVIMIENTO (razonamiento espacial) | | CONTEO (razonamiento numérico) | | COMENTARIOS Y OBSERVACIONES |
|---|---|---|---|---|---|
| | Correcto | Incorrecto | Correcto | Incorrecto | |
| 1 | | | | | |
| 2 | | | | | |
| 3 | | | | | |
| 4 | | | | | |
| 5 | | | | | |

ELECCIÓN DE MOVIMIENTOS (Razonamiento lógico):
3. ¿El mejor movimiento?_____ 4. ¿Por qué?_____
5. ¿El peor movimiento?_____ 6. ¿Por qué?_____

ELECCIÓN DEL DADO NUMÉRICO (Razonamiento lógico):

| | DADO 3+/3- | Elección del niño del dado numérico | COMENTARIOS Y OBSERVACIONES |
|---|---|---|---|
| 7. Para el dinosaurio del niño | + | | |
| 8. Para el dinosaurio del adulto | - | | |
| 9. Para el dinosaurio del niño | - | | |
| 10. Para el dinosaurio del adulto | + | | |

RECUENTO DE PUNTUACIÓN

| | BAREMOS | PUNTUACIÓN DEL ALUMNO |
|---|---|---|
| Razonamiento numérico | De 0 a 2 aciertos = 1 punto | |
| Razonamiento espacial | De 3 a 5 aciertos = 2 puntos | |
| Razonamiento lógico | De 6 a 8 aciertos = 3 puntos | |
| | De 9 a 10 aciertos = 4 puntos | |

Tomados de Gardner, Feldman y Krechevsky (2000 a, b y c). Adaptados por Prieto y Ballester (2003) y Gomis (2007).

## Anexo 8.7.b. JUEGO 2: "TALLER DE EXPERIMENTOS"

### ACTIVIDAD 1. "Los descubrimientos"

Objetivo: observar, explorar y experimentar con fenómenos naturales.

### DESCRIPCIÓN DE LA ACTIVIDAD

Actividad poco estructurada que evalúa la competencia de los alumnos haciendo observaciones formales e informales de los principales componentes cognitivos relacionados con la exploración y la observación científica.

Los componentes cognitivos de los que se ocupa esta actividad son:
- Observación directa
- Identificación de relaciones (comparación y clasificación de objetos)
- Interés por las actividades naturalistas
- Conocimiento del mundo natural

No todos los alumnos van a manifestar interés por los mismos fenómenos naturales, por ello es conveniente presentarles un conjunto de materiales variados para que ellos escojan. De esta manera se deberá tomar nota de aquello que despierta el interés de los niños.

### MATERIALES Y PREPARACIÓN

Los materiales para llevar a cabo la actividad serán los que preparemos nosotros (hojas, piedras, ramas, plumas, huesos, plantas aromáticas, conchas, etc).

Hemos de procurar que los materiales sean variados en formas, colores, texturas, pesos para favorecer la observación y la experimentación.

Esta actividad se realizará individualmente.

Los materiales que podrán utilizarse para llevar a cabo la evaluación son:
1. Materiales de la naturaleza
   - Piedras de diferentes colores, tamaños y texturas
   - Hojas secas, verdes, de distinta forma, color y textura
   - Frutas (limones, manzanas, frutas tropicales…)
   - Semillas
   - Ramas
   - Tierra
   - Conchas
   - Plumas
   - Huesos
   - Plantas aromáticas
   - Flores
   - Fósiles, etc.
2. Papel, rotuladores y lápices de colores
3. Hojas de periódico para ponerlas encima de la mesa durante la actividad

**PROCEDIMIENTO**

La actividad de los descubrimientos es de carácter abierto y los alumnos deben sentirse con total libertad para utilizar y manipular los materiales que necesiten.

En primer lugar, vamos a evaluar la OBSERVACIÓN PRECISA. Para ello, se les muestra los materiales a los niños para que los observen y analicen detenidamente (tocar, oler…). A continuación, cada niño elige un objeto y lo define, contando qué características tiene (forma, color, tamaño, peso…) según su nivel de desarrollo.

En caso necesario se puede ayudar a los niños a observar los objetos formulándole preguntas.

Se puede establecer un diálogo no dirigido sobre los objetos que hay, si nos gustan o no, y qué sabemos de ellos. Aprovechamos la espontaneidad de los niños para detectar intereses, necesidades, capacidades y estilos de trabajo que utilizan los niños.

En segundo lugar, una vez los niños hayan observado todos los materiales, vamos a valorar la habilidad de IDENTIFICACIÓN DE RELACIONES, es decir, comparaciones y clasificaciones, con preguntas del tipo:

¿En qué se parece cada uno de los materiales que hemos traído? ¿En qué se diferencian?

¿Podemos agrupar los objetos de alguna manera?

El niño elegirá dos objetos y deberá hacer comparaciones estableciendo en qué se parecen y en qué se diferencian.

Utilizando varios objetos le pediremos que los clasifique pero sin establecer ningún criterio de clasificación.

El número y variedad de objetos debe favorecer que el niño haga clasificaciones utilizando uno o varios criterios.

En tercer y último lugar, se valorará la observación precisa mediante representaciones gráficas. Para ello, se le pide al niño que haga un dibujo de la actividad.

EVALUACIÓN

La evaluación de esta actividad se deriva de todas las observaciones que se han realizado a lo largo de la misma, así como de la producción gráfica que ha hecho el alumno

Para registrar las observaciones se utilizarán los protocolos de observación adjuntos y se deberán recoger tantas notas detalladas como sea posible en relación con las descripciones, clasificaciones, preguntas, interés, observaciones y estrategias del niño.


**ACTIVIDAD 2. "Hundir y flotar"**

**OBJETIVO**

Observar y descubrir las relaciones entre las variables y formular y comprobar hipótesis mediante experimentos sencillos.

**DESCRIPCIÓN DE LA ACTIVIDAD**

Actividad poco estructurada que evalúa la competencia de los alumnos en la formulación y verificación de predicciones basadas en observaciones precisas, interés por actividades naturalistas y conocimientos del mundo natural. Los niños también pueden aprender sobre la posibilidad de flotar de ciertos objetos, y algunos conceptos. Durante la actividad podrán realizar experimentos sencillos. Pueden tratar de distinguir aquellas variables que pueden ser más relevantes en cada paso de la tarea agrupando, por ejemplo, los objetos según se hundan o floten, de acuerdo con las variables de peso y forma. También intentarán ver qué ocurre cuando combinan materiales que flotan con los que se hunden.

## MATERIALES Y PREPARACIÓN

Para el desarrollo de la actividad se necesitará un barreño de plástico lleno de agua hasta la mitad.

Los materiales deben variar en peso, tamaño, forma, composición, densidad, etc. Estos materiales se colocarán en una bolsa de plástico y se irán mostrando a los niños poco a poco.

Relación de materiales:

1. Tapón de corcho
2. Canica
3. Esponja
4. Chapa
5. Piedra pequeña
6. Piedra grande
7. Limón/naranja
8. Bola de plastilina
9. Otros

## PROCEDIMIENTO

La actividad de flotar y hundir se va a dividir en tres partes: ejercicios iniciales de predicción, experimentación libre y experimentación estructurada.

## EVALUACIÓN

Según los protocolos elaborados para la evaluación. Añadir cualquier observación y comentario que se considere relevante para la evaluación final.

## EVALUACIÓN FINAL "TALLER DE EXPERIMENTOS"

En las actividades del "taller de experimentos" se evalúan los siguientes aspectos:
- Observación precisa
- Identificación de relaciones (comparación y clasificación)
- Formulación y comprobación de hipótesis
- Experimentación (manipulación de materiales)
- Interés por actividades naturalistas
- Conocimiento del mundo natural

## PROTOCOLO DE OBSERVACIÓN DE LA ACTIVIDAD DE LOS DESCUBRIMIENTOS

| |
|---|
| **ALUMNO**<br>**EDAD**<br>**SEXO** |
| **OBSERVACIÓN PRECISA**<br>**Descripción y comentarios** |
| **IDENTIFICACIÓN DE RELACIONES**<br>**(Comparación y clasificación)**<br>**Comparación de dos objetos: comentarios, semejanzas y diferencias**<br>**Clasificación de varios objetos: comentarios, criterios de clasificación utilizados** |
| **INTERÉS POR ACTIVIDADES NATURALISTAS** |
| **CONOCIMIENTO DEL MUNDO NATURAL** |
| **DIBUJO DE LA ACTIVIDAD** |
| **OTRAS OBSERVACIONES** |

## PROTOCOLO DE OBSERVACIÓN DE LA ACTIVIDAD DE HUNDIR Y FLOTAR

| ALUMNO<br>EDAD<br>SEXO | | |
|---|---|---|
| **1.º OBJETOS FLOTAN Y SE HUNDEN** | 1º | |
| | 2º | |
| | 3º | |
| | 4º | |
| | 5º | |
| | 6º | |
| | 7º | |
| | 8º | |
| | TOTAL | |
| **2.º CLASIFICACIÓN** | En qué se parecen los que flotan | |
| | En qué se parecen los que se hunden | |
| | Por qué se hunden mientras que otros flotan | |
| | TOTAL | |
| **OBSERVACIONES, COMENTARIOS Y NOTAS** | | |
| | | |

# PROTOCOLO DE OBSERVACIÓN DE LA ACTIVIDAD DE HUNDIR Y FLOTAR

| ALUMNO<br>EDAD<br>SEXO | |
|---|---|
| **3.º EXPERIMENTACIÓN** | **1.º EXPERIMENTACIÓN LIBRE: NOTAS** |
| | **2.º EXPERIMETACIÓN GUIADA**<br><br>¿Cómo hacer que los objetos que flotan se hundan?<br><br>¿Cómo hacer que los objetos que se hunden floten?<br><br>¿Por qué crees que esto es así? |
| | **OBSERVACIONES** |
| **INTERÉS POR ACTIVIDADES NATURALES** | |

**CONOCIMIENTO DEL MUNDO NATURAL**

**OBSERVACIONES, COMENTARIOS Y NOTAS**

Tomados de Gardner, Feldman y Krechevsky (2000 a, b y c). Adaptados por Prieto y Ballester (2003) y Gomis (2007).

## COMENTARIOS/OBSERVACIONES

## CONTRATO DE APRENDIZAJE

**ALUMNO**_____

**perteneciente al grupo** _____ **de la asignatura de Psicología Evolutiva de 3 a 6 años.**

**PROFESOR**_____

**Responsable del grupo** _____

**Fecha/s de entrega de las prácticas:** _____

## OBSERVACIONES

_____

_____

_____

_____

_____

_____

**Firma del alumno**                    **Firma del profesor**